EMMANUEL GUIBERT

LA GUERRE D'ALAN

D'APRÈS LES SOUVENIRS
D'ALAN INGRAM COPE

L'Association

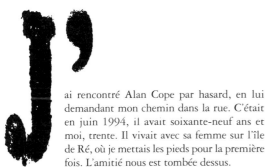

J'ai rencontré Alan Cope par hasard, en lui demandant mon chemin dans la rue. C'était en juin 1994, il avait soixante-neuf ans et moi, trente. Il vivait avec sa femme sur l'île de Ré, où je mettais les pieds pour la première fois. L'amitié nous est tombée dessus.

Alan était né en Californie en 1925 dans la ville d'Alhambra, faubourg de Los Angeles. Il avait grandi à Pasadena et Santa-Barbara. Il avait fait la guerre en Europe. Après guerre, il était venu s'installer en France et n'était plus retourné aux États-Unis. Il avait travaillé comme employé civil pour l'armée américaine, en France et en Allemagne. Depuis sa retraite, il vivait dans l'île.

Quelques jours après notre rencontre, un après-midi, il a commencé à me raconter des épisodes de sa guerre. Nous faisions des allées et venues sur une plage, le long de l'océan. Il parlait bien, j'écoutais bien. Ses anecdotes, hormis deux ou trois, n'avaient rien de spectaculaire. Elles n'évoquaient que de très loin ce que les films ou les récits de la seconde guerre mondiale m'avaient appris. Pourtant, elles me captivaient par leur accent de vérité. Je voyais littéralement ce qu'il disait. Quand il a interrompu son récit, je lui ai proposé : "Faisons des livres. Vous raconterez, je dessinerai."

Alan avait un jardin, à un kilomètre de sa maison. C'est là, dans un petit chalet rouge et blanc, que nous avons commencé à enregistrer son témoignage sur un magnétophone à cassettes. Nous étions heureux d'avoir trouvé une bonne raison de passer du temps ensemble. À la fin de ce mois de juin, j'avais déjà quelques heures d'enregistrement, et l'envie ferme de continuer. Dès septembre, j'étais de retour. On a repris nos conversations. Nous étions devenus importants l'un pour l'autre.

On ne savait pas qu'on n'aurait que cinq ans pour être amis, mais on a fait comme si on le savait. On n'a pas perdu notre temps. On a nagé, fait du vélo, jardiné, vu des films, écouté des disques, joué du piano, cuisiné, échangé des dizaines et des dizaines de lettres, de coups de fil, de cassettes et de dessins. On a conversé éperdument. On ne s'est jamais engueulé ni éloigné.

L'Association a vu d'un bon œil notre projet. J'ai commencé à publier des pages dans la revue *Lapin*. Alan était très attentif à mon travail, tout en me laissant une grande liberté. S'il lui est arrivé de me faire rectifier quelques erreurs, elles étaient d'ordre documentaire. Un véhicule, un insigne ou la forme d'un « fox-hole » de soldat, par exemple. Pour le reste, je pouvais dessiner sa vie comme mon imagination me la peignait. Parfois, mes dessins n'avaient que très lointainement à voir avec ce qu'il avait vécu. Le cadre, les gens, n'étaient pas ressemblants. Il l'acceptait comme une condition de notre travail. D'autres fois, il était troublé de constater qu'une scène qu'il m'avait vaguement décrite se superposait trait pour trait à son souvenir.

Dans tous les cas, le résultat lui plaisait. C'est cette confiance qui m'a permis de continuer tout seul, plus tard. Nous n'avons pas fait œuvre d'historiens. *La Guerre d'Alan*, c'est la rencontre d'un vieil homme qui racontait bien sa vie avec un jeune homme qui a ressenti le besoin spontané de l'écrire et de la dessiner. Si Alan n'avait pas vécu cette guerre, je suis certain que j'aurais tout de même fait des livres avec lui. J'ai d'ailleurs l'intention d'en publier sur son enfance californienne, qui est sans doute ce qu'il m'a confié de plus intime et de plus beau. En lui, c'était avant tout le conteur qui m'intéressait, sa personnalité, son style, sa voix et son étonnante mémoire. Cette mémoire n'est pas à l'abri des aléas.

Le lecteur constatera peut-être, de-ci de-là, des erreurs ou des omissions. Pour autant que je puisse en juger, elles sont rares. Même si j'étais en mesure d'en rectifier certaines, je me le suis pratiquement interdit (la confusion entre le soldat Carrothers et Donald O'Connor, par exemple, est maintenue, alors qu'il s'agit, de toute évidence, de deux personnes différentes). C'est la version d'Alan que je privilégie, parce que je veux que le lecteur entende ce que j'ai entendu, rencontre l'homme que j'ai rencontré. De même, en fin de livre, le souci de discrétion d'Alan sur sa vie d'adulte répond à une pudeur qu'il n'était pas question de forcer. C'est un monde disparu que nous voulions mettre à jour, celui de sa jeunesse, pas un monde récent ou contemporain, qui aurait engagé des vivants.

Si j'ai voulu appeler ce livre *La Guerre d'Alan*, c'est bien pour signifier qu'on ne trouvera pas ici un essai sur la condition du G.I. dans la seconde guerre mondiale. Il s'agit uniquement d'un homme, Alan Cope, de ce qu'il a vu, traversé, ressenti et de ce qu'il a bien voulu en dire, cinquante ans après.

Mes dessins sont à l'avenant. Un souci documentaire trop scrupuleux m'aurait sans cesse ralenti dans mon travail. J'ai donc souvent laissé parler le blanc, l'ellipse, pour que mon dessin, lui aussi, ressemble à un souvenir.

Alan était un petit homme très costaud et courageux, sur lequel pleuvaient de graves ennuis de santé. Dès les premiers temps de notre amitié, il m'est arrivé de sauter dans un train pour le rejoindre en clinique chirurgicale, où on l'avait admis d'urgence. Il reprenait toujours sa vie très active avec une rapidité surprenante, à force de volonté. Dans ces moments difficiles, on se rapprochait comme jamais. Début 1998, l'annonce d'une maladie grave a fait définitivement basculer son existence du côté de la survie. Une autre "guerre d'Alan" a commencé. Pendant un an et demi, je l'ai vu se battre contre un adversaire qui le poussait toujours plus dans les cordes. Quand il avait la force d'enregistrer, nous ne parlions plus que de son enfance. Son souffle se raréfiait, mais ses récits étaient plus essentiels et lucides que jamais. Il continuait à lire nos pages en feuilleton dans la revue. Je mettais les bouchées doubles pour qu'il voie paraître un premier livre, mais je m'interrompais à tout bout de champ pour passer du temps avec lui. Je lui apportais ou lui postais chacune de mes nouvelles pages, dans lesquelles il se voyait jeune et découvrant la vie. Sous ses directives, j'allais défendre le jardin contre l'envahissement des plantes sauvages. Alan est mort le 16 août 1999, à La Rochelle.

Il avait une boutade, quand il ne voulait pas aborder immédiatement tel ou tel sujet : "Je t'en parlerai en l'an 2000." J'en veux à la mort de m'avoir privé de toutes ces conversations de l'an 2000. Je lui en veux aussi d'avoir privé Alan de la sortie de notre premier livre, en mars de cette année-là. Il aurait été fier de le voir dans la vitrine de quelques libraires, fier de lire les premiers articles de presse qui saluaient notre travail.

En revanche, la mort lui a épargné un événement qui l'aurait rudement affecté : la destruction de son jardin, le lieu au monde qu'il préférait, lors d'une grande tempête qui a ravagé une partie de l'Europe, en décembre 1999. Tous les arbres autour du petit chalet rouge et blanc se sont couchés sous le vent. Au printemps d'après, j'ai revu le jardin, devenu un terrain plat, dégagé au bulldozer. Du temps de nos conversations, il était labyrinthique, touffu et paraissait sans fin. Ce jour-là, j'en ai rejoint l'extrémité en vingt petits pas.

La magie avait changé d'adresse.

Dix ans ont passé, je suis arrivé au terme de la première partie de mon travail : la guerre est finie. À mesure que j'avançais, j'ai ressenti le besoin, sans doute parce qu'Alan me manque, d'associer toujours plus étroitement mon histoire personnelle à la sienne. Il m'avait encouragé, quelque temps avant sa mort, à me rendre en Californie, l'année de mes quarante ans, pour dire bonjour de sa part au plus massif des séquoias du Sequoia Park, le fameux "Général Sherman". Je l'ai fait. J'avais en main des photographies des années 1930 qu'il m'a léguées, et j'ai arpenté les rues de Pasadena et d'Altadena à la recherche des maisons de son enfance. J'en ai retrouvé certaines, ainsi que ses écoles et l'église où il chantait. J'ai identifié beaucoup d'arbres auxquels il aimait grimper.

Plus tard, je suis allé en Allemagne, sur les lieux qu'il avait occupés, en tant que caporal de la Troisième Armée du Général Patton. J'ai retrouvé des gens qu'il avait connus, soixante ans auparavant, et au nom d'Alan, nous avons fait amitié. C'est ainsi que le lecteur trouvera, en fin d'ouvrage, des pages plus documentées qu'au début.

Alan écrivait des poèmes. J'extrais de l'un d'eux trois strophes qui disent bien, je trouve, ce que c'est de partir à l'armée quand on a dix-huit ans, en temps de guerre :

"D'elle, ma première vue
Au milieu d'un tapis rond
Assise sur fond de turquoise
Ouvrant ses cadeaux d'anniversaire

Son seizième – et ses fins doigts
Ses bras duvetés de blond
Je n'avais pas encore bu de la bière
Blonds comme la bière (…)

D'elle, ma première grande peine
Au milieu d'un monde en guerre
Accroupie au bord d'un au revoir
De sentir glisser au loin cette belle peau blonde."

EMMANUEL GUIBERT

*Alan souhaitait que ce livre soit dédié
à la mémoire de sa grand-mère, Ione Ingram.
Moi, je le dédie à mes parents, Jean et Jacqueline.*

"Quand j'ai eu dix-huit ans, Uncle Sam m'a dit qu'il aimerait bien mettre un uniforme sur mon dos pour aller combattre un gars qui s'appelait Adolf. Ce que j'ai fait."

ALAN INGRAM COPE

1

Je me souviens du jour où PEARL HARBOR a été bombardé.
J'étais très jeune et je livrais les journaux à PASADENA, en Californie.

C'était tôt le matin, dans les quartiers résidentiels. Je jetais le journal sur les perrons, devant les maisons.

La plupart des gens dormaient encore, mais quelques personnes sont sorties tout de suite pour regarder les titres.

Il n'y en avait qu'un, sur cinq colonnes.

PEARL HARBOR BOMBED BY JAPS

Je me souviens des expressions de surprise complète, de choc.

Quant à moi, je n'avais aucune idée de ce que c'était que PEARL HARBOR. Je n'avais pas le temps de lire le journal avant de le livrer.

A dix-huit ans, j'ai été appelé, comme tous les jeunes Américains.

J'ai passé des tests, dont un avec une note parfaite, celui d'aptitude à devenir opérateur de radio.

Et puis on nous a mis dans un train.

Nous allons à FORT KNOX, KENTUCKY.

On était soldat depuis la veille et on n'avait rien appris, sauf comment faire un lit. Justement, on était dans des voitures-lits. Deux hommes par lit.

Il y avait deux jeunes gens qui, de toute évidence, étaient amoureux et l'un était très timide et pleurait.

Il avait tiré comme camarade de lit un énorme gars, très très gras, pas très alléchant et il pleurait parce qu'il fallait qu'il passe la nuit avec ce monsieur.

Son copain m'a dit :

Vous ne connaissez personne ici ?

Non, non.

Vous ne voulez pas changer avec lui ? Parce que vous voyez, il va faire une crise de nerfs.

Il avait l'air si malheureux. J'ai regardé le gros monsieur et j'ai pensé "évidemment, il est vilain, mais..."

Bon, je veux bien.

Le gosse était vraiment très content. Les deux ont couché ensemble et moi j'ai couché avec le gros type.

Il prenait toute la place mais ce n'était pas sa faute. Il était gentil.

C'est le premier souvenir humain de ce voyage.

On était au mois de mars et on portait déjà l'uniforme d'été. Il faisait chaud, il fallait ouvrir les fenêtres du train.

Les locomotives à vapeur brûlaient souvent un charbon impossible. Il envoyait des gros paquets de suie et tout le monde était noir.

Ce n'était pas du tout agréable.

Et puis on est arrivé à CHICAGO, dans les parcs à fret.

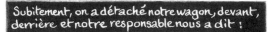

Subitement, on a détaché notre wagon, devant, derrière et notre responsable nous a dit :

Je pars avec le reste du train. Un autre train va venir vous chercher pour vous emmener à FORT KNOX. Attendez-le et défense de sortir du wagon.

Mais rien ne s'est passé. Pendant des heures et des heures. On avait faim.

Il me semble que je vois des bâtiments par là-bas, une rue. On pourrait traverser les rails et peut-être qu'on trouvera une épicerie ou quelque chose. Qui veut venir avec moi ?

On a été cinq à le suivre.

Il fallait faire très attention. Des locomotives arrivaient à toute vapeur, de toutes les directions et on ne pouvait pas savoir, à cause des aiguillages, sur quels rails elles arrivaient.

Vous pouviez croire qu'un train venait sur un rail, puis brusquement il bifurquait sur un autre, c'était extrêmement dangereux.

Enfin, on est sorti de là.

On a effectivement trouvé une très petite épicerie de quartier où on a quand même pu acheter du pain, des petits gâteaux, du peanut butter, des fruits...

Tout cela était dans les paper bags, les fameux sacs en papier américains, qui sont excellents et on a rebroussé chemin.

On avait fait attention de repérer en venant des tours et des trucs et des machins pour pouvoir retrouver notre wagon.

C'était toujours aussi dangereux mais nous ne nous sommes pas trompés de chemin. On a bien reconnu l'emplacement du wagon.

IL N'Y ÉTAIT PLUS.

Qu'est-ce qu'on va faire ?

Moi je n'ai pratiquement pas d'argent.

Moi non plus.

On va être puni.

Il faut marcher jusqu'à la station. Maintenant, ils vont considérer que nous sommes des déserteurs, donc il faut qu'on arrive à FORT KNOX par nos propres moyens le plus tôt possible, pour prouver qu'on ne voulait pas déserter.

Nous étions tous d'accord et nous avons marché jusqu'à un bureau de fret où un employé nous a reçus. Quand on lui a dit ce qui nous arrivait, il a rigolé.

Je vais envoyer un message au chef de la gare des trains venant de la côte ouest.

Il a écrit avec un stylo électrique qui m'a fasciné. Il envoyait ses messages en écrivant réellement sur une surface comme du papier et là-bas, à la gare, son écriture était instantanément reproduite.
Je n'avais jamais vu ça.

Bref, la réponse est arrivée par le même système : nous devions venir tout de suite.

A la gare, on a appelé le quartier général de FORT KNOX. On était déjà signalé comme manquant.

L'armée a pris en charge les billets pour LOUISVILLE via NEW YORK. LOUISVILLE est la grande ville à côté de FORT KNOX. Avec l'accent local, on prononce "Loweuveul".

On est arrivé à NEW YORK, GRAND CENTRAL STATION, dans l'après-midi.
C'était ma première fois.

Le train pour LOUISVILLE était le soir et, comme on était sûr d'être mis en prison en arrivant là-bas, on a décidé de prendre du bon temps.

On est monté en haut des cent-deux étages de l'EMPIRE STATE BUILDING.

On a mangé gratuitement dans un club pour soldats
et on est allé au ROCKEFELLER CENTER
écouter un orchestre de jazz.

Et puis ça a été l'heure de reprendre le train
de nuit.

Au matin, à LOUISVILLE, un camion militaire nous
a ramassés et amenés à FORT KNOX.

FORT KNOX était une vraie ville.
Il y avait cent mille personnes là-dedans,
à l'époque. Depuis l'entrée du fort jusqu'à
nos baraquements, on a fait une bonne
demi-heure de route.

On a été très bien reçu.
Pas d'engueulade, pas de punition.
On nous a donné notre équipement, comme
à tout le monde, et voilà.

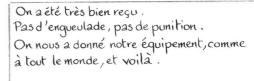

2

On a appris à devenir des soldats.

Je me suis trouvé dans les blindés avec une période d'entraînement de trois mois, parce que c'était nouveau, les blindés, et qu'on avait à apprendre énormément.

Les gars qui étaient à l'infanterie, eux, avaient quelques semaines d'entraînement et puis on les envoyait se faire tuer.

Le premier jour, tout appelé passait un test psychologique. Il y avait un soldat qui vous posait des questions, quelquefois assez embarrassantes.

Ensuite, on nous faisait passer un test d'intelligence. Alors là, j'étais très bon. Une note de 132.

Maintenant, je suis plus vieux, probablement ce serait moins bon.

Et puis le super-entraînement a commencé.
Il y avait des marches, des courses d'obstacles,
on étudiait les armes de toutes sortes,
la façon de se conduire, de faire des patrouilles,
on apprenait comment se servir d'une capote anglaise,
à se méfier des putains
(on ne nous parlait pas encore de pénicilline,
à l'époque, je ne connaissais même pas ce mot),
enfin, tout ce que vous voulez,
même à nettoyer par terre.
C'était très complet.

Par exemple, il fallait ramper sous des barbelés.
On tirait des balles au-dessus de nous,
des VRAIES balles. C'est-à-dire que si
on s'était levé, on aurait été mort.

On a eu un combat de village. Des tireurs
d'élite étaient cachés dans les coins et
nous tiraient dessus, toujours avec de vraies
balles, très très près. On voyait les trous
dans le mur à côté de soi et on apprenait
à prendre les choses vraiment au sérieux.

Et puis, le même jour que la prise du village, il y a eu cet exercice qui m'a rendu furieux.

C'était à la sortie d'un bois.

On était sur le côté d'une route et des chars approchaient. La route était creusée de trous de la taille d'une personne.

Il fallait se jeter sur la route devant les chars, choisir un trou, sauter dedans et le conducteur du char roulait sur le trou avec une de ses chenilles.

On faisait ça à dix ou douze à la fois, avec notre fusil long, mais on ne partait pas tous en même temps. C'était en mouvement.

J'ai reçu en dernier le signal de courir.

J'ai sauté dans le trou qui restait. Nom d'un chien ! IL N'ÉTAIT PAS ASSEZ PROFOND !

Les parois, peut-être le jour même, avaient cédé. Il manquait au moins vingt centimètres de profondeur. Je pouvais m'y mettre à peu près, mais pas mon arme !

Remarquez, si j'avais été intelligent, je l'aurais peut-être jetée en l'air ou quelque chose, mais j'avais très peu de temps. L'engin arrivait sur moi.

Je me suis dit : "La chenille va casser mon fusil et s'il casse mal, il va m'embrocher."

J'ai eu deux secondes pour faire pencher le fusil dans l'axe de la marche du char et je me suis fait tout petit.

Dans le vacarme de la chenille qui me passait dessus, j'ai entendu le craquement du fusil.

Je me suis rencogné comme j'ai pu pour qu'il ne me craque pas dans le corps.

Ça a marché.

Quand je suis sorti du trou, le sergent était furieux. Il ne voulait rien entendre.

Je n'ai pas osé le traiter de con.

C'était une très mauvaise expérience.

3

Je faisais partie d'un bataillon.
Dans ce bataillon, il y avait quatre compagnies
et dans chaque compagnie, soixante soldats.

On avait un exercice où il fallait faire
des courses de relais en portant quelqu'un
à peu près de son poids sur les épaules.

Les compagnies étaient mélangées
et je cherchais autour de moi
quelqu'un de mon gabarit.

On peut faire ça ?

Oui.

C'est comme ça que j'ai rencontré Lou.

C'est facile de porter un gars sur ses épaules. Si on s'y prend bien, on peut en porter des plus lourds que soi. Il faut faire gaffe de ne pas coincer les couilles.

On s'est bien amusé à faire ça tous les deux et on a fait connaissance.

Il était complètement différent de moi. Moi, j'étais un enfant assez timide, j'avais pas froid aux yeux mais j'étais timide, pas du tout sportif, à part pour la natation et grimper aux arbres.

Lou, au contraire, c'était le genre membre d'équipes de basket, de foot et de tout ce qu'on veut...

On ne sait jamais pourquoi on sympathise avec quelqu'un mais vraiment on a beaucoup, beaucoup sympathisé. Tant et si bien qu'il y avait des gens qui croyaient qu'on était un peu spéciaux et, lui qui était très bagarreur, il a brisé quelques nez à cause de ça. Haha!

On faisait des longues marches, trente ou quarante kilomètres, souvent par une chaleur étouffante. J'adorais ça.

Il y avait un camion devant la troupe et un autre derrière. Le camion de devant transportait le "lister bag", le réservoir d'eau pour la pause.

Le camion de derrière ramassait les types qui s'évanouissaient.

Les pauses duraient un quart d'heure, sous les arbres. On s'asseyait, buvait, fumait une cigarette.

Souvent, Lou, qui était dans une compagnie derrière, courait pour me rejoindre et boire le coup avec moi.

Quand on rentrait des marches, en principe, on avait quartier libre. Tous les soldats se couchaient, épuisés, et nous on disait :

Bon, ben on va à la patinoire.

Et on le faisait. Ça enrageait tout le monde.

Il y avait aussi un garçon, dans une autre compagnie. S'appelait Donald Carrothers.

Il m'appelait toujours "California"!

Hi California ! How're ya doin' ?

Il avait une tête de fermier blond avec un petit nez pointu et un regard qui reste dans la mémoire. Il n'était pas très grand mais élancé, avec des cuisses puissantes.

Ce qui m'avait frappé chez lui, c'est qu'il était au fond assez athlétique, mais quand il marchait, il marchait avec le thorax penché en avant, parce que le paquetage était lourd et qu'il avait une très petite poitrine.

OK, California ?

J'aimais bien sa façon de m'appeler "California"! On parlait un peu, comme ça. Il y avait une certaine attirance entre nous vers une amitié qui ne s'est pas formée.

Et alors je vais faire deux grands sauts dans le temps pour dire ce qui est advenu de lui.

Peu après la fin de la guerre, en mai 45, j'étais en Tchécoslovaquie et, chose rare, j'ai reçu deux lettres, dont une de Donald Carrothers.

Évidemment, ça commençait par "Hi California!" et ça disait :

J'AI ÉTÉ LIBÉRÉ. JE GAGNE TRÈS BIEN MA VIE, JE DANSE DANS LES CABARETS, LES NIGHT-CLUBS ET CE QUE JE VOUDRAIS QUE TU FASSES, C'EST DE VENIR ME REJOINDRE LE PLUS TÔT POSSIBLE.
J'AI BESOIN DE PARTENAIRE. JE T'APPRENDRAI À DANSER, JE SAIS QUE TU POURRAS ÊTRE UN BON DANSEUR ET CE SERA FORMIDABLE.

J'étais absolument 100 % surpris. Je n'avais pas eu UN MOT de lui depuis fin 43. J'avais même oublié son existence, à vrai dire.

Alors je lui ai répondu non. J'ai été très poli. Je lui ai dit :

C'EST FORMIDABLE QUE TU ME PROPOSES ÇA. JE SUIS MÊME HONORÉ. MAIS JE NE SAIS PAS SI C'EST MON GENRE. JE CROIS BIEN QUE JE NE DEVRAIS PAS FAIRE ÇA.

(Je ne savais pas encore ce que je voulais faire, d'ailleurs.)

Remarquez, j'aurais peut-être pu devenir un bon danseur. Il avait dû voir ça par ma façon de faire ces longues marches avec un pas allègre.

Deuxième saut dans le temps, encore plus grand, vers 1976. J'ai pris ma retraite et je regarde un film avec GENE KELLY, que vous connaissez.

Il dansait souvent avec, comme deuxième danseur, un garçon qui s'appelait Donald O'connor.

Eh bien, O'connor, c'était Carrothers.
Pratiquement certain de l'avoir reconnu.

Je crois qu'il est mort, depuis.

La deuxième lettre reçue en Tchécoslovaquie, en 45, était de Lou.
Je lui avais beaucoup écrit, et toujours sans réponse.
Ça m'attristait énormément, ça me faisait pleurer de penser
que Lou était mort.

(J'ai appris plus tard que c'était exactement pareil pour lui.)

Il faut dire que l'armée faisait ce qu'elle pouvait
pour livrer les lettres, mais enfin, c'était la
guerre. Par exemple, une parente en Amérique
m'avait envoyé un énorme fruit cake ...

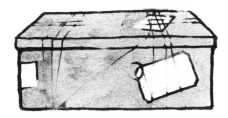

Des mois plus tard, c'est revenu chez elle dans
un paquet complètement écrasé et pourri.

Le camion avait dû être bombardé.
ou sauter sur une mine.

C'est peut-être un peu bizarre de dire ça mais, tout compte fait,
le jour où j'ai reçu la lettre de Lou a été probablement
le plus beau jour de ma vie.
Encore plus beau que la naissance de mes fils.
Quand vous croyez que quelqu'un est mort et que vous découvrez
qu'il ne l'est pas, ça produit un effet extraordinaire.
C'était merveilleux de penser qu'il était vivant
et qu'il pouvait m'écrire une lettre.

Nous reparlerons de Lou.

4

Je n'ai pas encore raconté mon histoire de morpions, n'est-ce pas ?
Je peux la dire maintenant.
J'ignorais ce que c'était que des morpions et un jour,
pendant mon entraînement de base, je les ai attrapés.

Je peux vous assurer que ce n'était pas en ville, je n'y étais pas allé, d'ailleurs. Certainement, je les avais attrapés dans les toilettes.

J'en avais beaucoup et c'était très désagréable.

Chaque matin, au rapport, quand il avait fini de donner les annonces, le sergent qui dirigeait la compagnie demandait :

Est-ce qu'il y a quelqu'un qui veut se faire porter malade ?

Certains soldats sortaient du rang et se mettaient à côté de lui. Il envoyait tous les autres au petit déjeuner et il demandait à chacun :

Qu'est-ce que tu as ?

Je lui ai expliqué ce qui m'arrivait.

Ça s'appelle des morpions.

En anglais, on dit "pubic lice", mais le terme argotique qui correspond à morpion, c'est "crabs". C'est-à-dire des crabes.

Parce que, je ne sais pas si vous en avez déjà vu, c'est minuscule, ça se met autour de la racine de chaque poil pubique, ça s'accroche avec des petites pattes et ça fait très mal.
Si vous arrivez à en voir un, ça ressemble à un petit crabe, un petit dormeur.

A peu près.

Alors le sergent était en colère après moi. Probablement, il croyait que j'avais fait des bêtises.
A l'époque, on faisait beaucoup d'efforts pour éviter que les garçons aillent chez les putains.

Je n'avais aucune idée de ce qu'il fallait faire pour soigner ça.
J'ai appris plus tard qu'il existait des baumes qui tuent ces petits animaux, mais le sergent ne m'a pas envoyé chez le médecin.
Il m'a dit :

Voilà ce que tu vas faire : tu vas dans la douche, tu mets de la crème à raser et tu te rases avec ton rasoir jusqu'à ce que tu n'aies plus le moindre poil sur la verge, sur les couilles, autour, rien, hein ?

Et fais bien attention que tout ça descende dans le drain, il ne faut pas en laisser traîner. Tu verras que tu n'auras plus rien.

Je dois dire que ça marche.

Mais il était bien vache, parce que c'était une opération difficile et désagréable, comme vous pouvez l'imaginer.

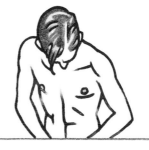

Et ce n'est pas tout...

C'est que ça repousse, les poils !
Au début, c'est tout court et ça vous mord terriblement.

En plus, il fallait marcher tout le temps, faire les exercices, le sport et tout ça.
J'ai acheté du talc, bien sûr, et je me protégeais comme je pouvais, mais je souffrais beaucoup.

Je me suis méfié par la suite.

Je ne voulais pas rattraper ça. Il faut dire que les toilettes n'étaient pas dans des cabines individuelles.

Elles étaient alignées contre le mur, par six ou sept.

Une promiscuité assez pénible.

Peu après l'épisode des morpions, il y a eu un accident, d'ailleurs.

L'armée a fait venir des ouvriers pour réparer le système de chauffage.

Ces gens-là ont branché l'eau chaude sur les waters.

Au matin, tous ceux qui ont tiré la chaîne en restant assis ont été très sévèrement brûlés.

Heureusement, moi non.

5

Mon père ne m'avait pas appris à conduire une voiture.
Probablement parce que ma belle-mère ne voulait pas,
parce que sinon, mon papa était très gentil et il m'aurait appris.
A dix-huit ans, je ne savais conduire qu'une bicyclette.
Et donc, le premier véhicule à moteur que j'ai appris à conduire de ma vie
était un char.

Ce sont des engins assez désagréables,
pour le moins dire.
Quand la terre est sèche, étant donné que
dans le Kentucky c'est de l'argile,
ça fait une poussière incroyable.

Et quand il pleut, alors là c'est pas marrant
parce que c'est de la gadouille
et qu'entre autres choses il faut nettoyer
le char quand on a fini
la journée d'entraînement.

Surtout, il faut enlever la boue de chaque maille des chenilles. On le fait avec un petit bâton, une branche d'arbre, enfin n'importe quoi qu'on peut trouver. C'est collant, c'est presque impossible de nettoyer ça.

A l'époque, le moteur de nos chars était un moteur d'avion, c'est-à-dire radial, comme sur les anciens avions à hélice. On appelle ça radial parce que c'est un cercle, avec des bougies tout autour. Ça bouffait une quantité d'essence incroyable.

On avait des jerrycans et nous apprenions, moi aussi petit COPE, à porter jusqu'à quatre jerrycans à la fois, deux dans chaque main, ce qui est terriblement lourd.

Je ne sais pas si vous savez comment on dirige un char. Vous avez deux chenilles et pas de volant. Ben disons que d'abord, il faut le faire démarrer. Ça, c'est pas trop difficile. Vous tournez une clef et si la chose fonctionne, le moteur démarre.

Vous êtes assez mal assis et vous ne voyez pas grand-chose et, si vous fermez le capot, vous avez juste une espèce de fente pour voir.

(C'est pour ça qu'en ville, quand vous n'êtes pas en combat, il y a toujours un soldat qui marche devant pour vous diriger.)

Il y a un système d'accélérateur et de frein. Pour la direction, on freine mécaniquement soit une chenille, soit l'autre, en tirant sur un manche comme un manche d'avion. Ça fait qu'une chenille ralentit et que l'autre continue à la vitesse déterminée par l'accélération et donc, forcément, ça tourne.

Si vous voulez tourner à droite,
vous tirez le manche de droite,
la chenille de droite ralentit
et vous tournez à droite.

Si vous tirez très fort, la chenille peut s'arrêter
complètement, mais alors là vous tournez d'une
façon extrêmement abrupte.

Pour arrêter le char, on tire sur les deux manches.

Il y a aussi une espèce d'embrayage, mais enfin, ça n'a rien à faire avec l'embrayage
d'une voiture. C'est pour que le moteur puisse marcher sans que l'engin avance.

Les chars, en principe, sont faits pour quatre
occupants. Il y a le conducteur, en bas à
gauche, l'opérateur de radio, en bas à
droite et, dans la tourelle, le commandant
du véhicule et le canonnier, qui devient
commandant si le commandant est tué
ou blessé.

Il y a souvent un rail tout autour de la tourelle,
sur lequel roule une grosse mitrailleuse,
une cinquante. Du coup, la tourelle n'est
pas fermée. On est debout là-dedans, quand
il fait froid on met une serviette de bain
entre les deux parties du casque pour faire
un châle. Quand il pleut, ben il pleut.

Les quatre communiquent avec des écouteurs et un petit microphone.
Je vous ai dit que le conducteur ne voit pratiquement rien et le radio non plus.
Si le canonnier descend et s'assoit à son canon, le commandant
reste seul à voir vraiment ce qui se passe.

Il dirige la manœuvre et le tir avec
un système de cadran de montre :
objectif à trois heures, à dix heures, etc.
Il donne aussi les distances et le canonnier,
qui regarde par une petite lunette, finit
par avoir une vision d'un truc et peut tirer.
Aujourd'hui, tout ça doit se faire
électroniquement, mais pour nous c'était
de la pifométrie.
Une bonne pifométrie.

Alors donc j'ai appris comme tout le monde
à conduire cette chose, c'est assez amusant.
Au début, ce n'est pas spécialement facile.
Ça a duré deux bonnes semaines et, vers
la fin, nous avons eu le droit de faire
tomber des arbres. C'était des sortes
de chênes, pas très gros mais très hauts.

Nous étions trois dans le char, l'instructeur qui était à la place du radio et deux élèves qui se relayaient, l'un aux commandes, l'autre dans la tourelle.

J'ai conduit en premier et j'ai bien écrasé mes arbres. Très bonne note.

Ensuite j'ai changé de place avec l'autre et je me suis retrouvé seul dans la tourelle, à la place du canonnier.

Le char se dirigeait vers un grand arbre.

Au lieu de tomber tout entier au moment du choc, cet arbre, qui ne devait pas être en très bonne santé, s'est brisé à mi-hauteur.

La partie basse s'est couchée devant le char.

La partie haute est tombée tout droit dans la tourelle.

Heureusement, l'arbre a choisi
de tomber à côté et pas sur ma tête.
Sinon j'étais mort.
Et si on avait été deux, il y aurait eu
un tué, c'est sûr.
J'ai été effrayé, l'instructeur aussi.
Ça n'a pas fait de mal au char
mais ça a abîmé les sièges
dans la tourelle.

C'est étrange, hein ?
Pendant toute cette période et
plus tard, pendant la guerre
proprement dite, j'ai toujours
eu des histoires dangereuses
qui n'avaient que rarement
à faire avec le combat.

6

Toute la journée on apprenait à manœuvrer et à entretenir un char
et ça nous éreintait.
Heureusement, la compagnie de Lou suivait la même formation.
On pouvait se retrouver le soir tous les deux et bavarder un peu.
On logeait dans des tentes de soldats, pas confortables,
en pleine cambrousse, très loin du fort.

Lou disait :

Viens, on va voler
quelque chose à manger.

Il allait dans la tente de mess
de sa compagnie (il était assez
osé comme garçon) et il volait du
pain, du beurre et des oignons.
Il adorait les oignons crus.

Alors nous faisions des énormes
sandwiches de pain, beurre et
oignons. Je dois dire que c'est
assez indigeste mais très bon.

J'aime bien ces sandwiches
depuis ce temps-là.

Et puis nous avons eu un samedi après-midi
et un dimanche de libres pour retourner au fort,
ce que tout le monde a fait, et Lou a piqué une
grosse dépression.

J'en ai MARRE, MARRE
de tout ça, MARRE de
l'armée! Ça ne rime à rien.
Je vais tout simplement
déserter !

Quand les camions qui ramenaient tout
le monde sont repartis, le dimanche après-midi
vers quatre heures, il s'est caché et je suis
resté avec lui.

J'ai dit :

Moi je reste avec toi mais je ne déserte pas, alors je te tiendrai physiquement s'il le faut mais tu ne dois pas faire ça.

Je DÉTESTE ces chars !

Dans les films, on les voit tout le temps brûler avec les gars dedans qui grillent. JE N'AIME PAS ÇA !

Je n'aime pas l'idée de brûler vivant dans un char. Je rêve la nuit que je brûle dans un char comme on voit dans les films.

Nous allions souvent au cinéma, lui et moi. Et s'il fallait choisir entre un film de guerre et un autre, Lou choisissait toujours le film de guerre.

Moi, je ne me voyais pas nécessairement dans la peau des personnages.

Lou, pourquoi encore un film de guerre ?

Parce que je me demande comment MOI je vais réagir dans ces situations.

Il était très brave, très dur, mais je ne sais pas, il avait peur de mal réagir dans ces situations.

Écoute, à vrai dire, je déteste les chars aussi. Moi, ce que je n'aime pas, c'est les nettoyer.

AH ! Tu vois !

Et puis je n'avais pas spécialement pensé à ça, mais maintenant que tu me parles de griller dans un char, j'avoue que je n'aime pas cette idée non plus.

Ben alors ?

Oui mais on ne doit pas déserter.

J'ai mis six heures à le convaincre.

Il était donc vers dix heures et demie du soir quand j'ai dit :

Tu vas rentrer avec moi.

Bon.

Il va falloir qu'on marche jusqu'à là-bas.

Oui, oui, d'accord.

Tu connais le chemin, Alan ?

Bien sûr.

Alors on est parti à pied, tous les deux, ça a pris des heures et des heures, on est arrivé complètement crevés et on a retrouvé nos compagnies.

Le lendemain, il m'a dit :

Ecoute, tu sais ce que je vais faire ? Je vais me porter volontaire pour les parachutistes. Qu'est-ce que tu en penses? Tu pourrais faire comme moi.

C'est peut-être plus dangereux que les chars, mais l'idée de me bagarrer en sautant en parachute, ça ne me fait pas peur. Alors que brûler dans un char, oui.

J'étais d'accord.

On est allé voir le quartier général.

Vous pouvez toujours demander. On verra bien.

Alors on a fait la demande et puis on a eu encore un examen physique et un test d'aptitude qu'on a réussis.

Et la réponse est arrivée.

On nous refusait l'affectation à cause d'un gel de tous les transferts. La fin de notre période de formation approchait et l'état-major savait déjà ce qu'il allait faire de chaque soldat.

Je pense que ça m'aurait bien plu de sauter en parachute, mais je ne serais peut-être pas là aujourd'hui pour en parler.

Le moment de partir est venu et on m'a appelé chez le commandant.

COPE, on a besoin d'étudiants à l'école de radio et vous avez eu la meilleure note du bataillon quand vous avez passé le test. Alors vous n'y êtes pas obligé, c'est du volontariat, mais vous pouvez aller à l'école de radio pendant trois mois. Réfléchissez.

Je n'essayais pas de tirer au flan, je n'avais pas peur d'aller à la guerre, mais j'ai pensé :

Si je dis non, je passe peut-être à côté d'une expérience très valable. Et comme Lou et moi ne sommes pas dans la même compagnie, si je refuse pour rester avec lui, j'ai très peu de chances d'être effectivement avec lui.

Je savais qu'on n'envoyait pas les compagnies au même endroit. C'était très rare que ça arrive.

Alors Lou était peiné mais il comprenait que, probablement, on ne serait pas ensemble. Si j'avais été sûr de rester avec lui, je l'aurais suivi. Mais comme on devait être séparé de toute façon, j'ai dit :

Je vais aller à l'école de radio.

Et donc tout le bataillon est parti, compagnie après compagnie. Les quatre bâtiments se sont vidés, ils allaient être remplis le lendemain par un autre groupe.

J'étais dans un des bâtiments et je regardais tous ces gens qui s'éloignaient au pas sur la route. J'ai vu Lou partir.

J'étais seul dans cette grande pièce et je vous assure que j'étais triste.

7

Alors donc, on entre dans la phase de l'élève radio.
Cet entraînement était excellent. Ça durait trois mois.
Ça consistait en plusieurs heures de code par jour,
à transmettre et à recevoir.
En apprenant le code, il y avait des gars
qui piquaient de véritables crises de nerfs.

On avait aussi des cours de cryptographie, de petite théorie radio, de procédures de transmission (avec la multitude de signaux sonores convenus, qui tous commencent par la lettre Q et sont composés de peu de lettres, le plus souvent trois), de manipulation des postes de radio, de transmission par code vocal
...

Et vers la fin des trois mois, on a appris comment faire la radio dans des conditions de combat.

On nous mettait dans des half-tracks et on nous entraînait dans des chemins incroyables, des lits de rivière, où on manquait sans arrêt de se retourner.

Le transmetteur était fixé sur la cuisse par un bracelet et il fallait envoyer des messages.

A l'extérieur, d'énormes haut-parleurs imitaient les bruits de combats, les avions qui zoomaient, les bombes qui éclataient, les gens qui criaient.

Avec tout ça, il fallait quand même entendre et transcrire.

Ben c'était amusant.

Je suis devenu un bon opérateur à moyenne vitesse. D'une classe de 300 je suis sorti premier.

Du coup, on m'a proposé de devenir enseignant.
J'étais toujours simple soldat, hein ?
Même pas première classe.

L'idée m'a plu.

J'apprenais le morse international aux soldats,
quelquefois il y avait des sous-offs.
Il fallait voir les forces et les faiblesses de chacun,
découvrir pourquoi ils faisaient certaines choses
de travers. C'était assez intéressant.

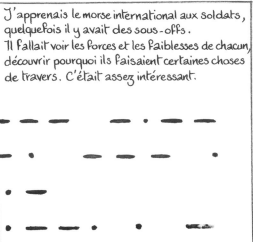

Mais surtout, il y avait la cryptographie.
Et à l'époque existait une merveilleuse petite
machine pour crypter et décrypter les messages.
Secrète, d'ailleurs.

Elle faisait 12 ou 13 centimètres de long, un peu
moins de large et 7 centimètres de haut.
Elle avait des leviers et des molettes.
Je ne me souviens pas comment on s'en sert.

Peut-être que j'ai oublié parce qu'en tant que
bon détenteur de secrets, je devais.

Je l'avais très bien maîtrisée, cette petite
machine. Le matin, j'enseignais son
fonctionnement à une centaine de personnes
à la fois. Alors là, j'ai eu des hauts gradés,
même des colonels.

Des fois, il fallait les corriger. À vrai dire,
des vieux comme ça, quelquefois, ils
comprennent beaucoup moins vite qu'un jeune
une chose inconnue, n'est-ce pas ?

L'après-midi, je retournais dans les half-tracks, cette fois comme instructeur, avec 4 ou 5 opérateurs à la fois. J'ai eu quelques copains parmi ces élèves-là.

Je me souviens de deux qui étaient formidables. Ils avaient des copines à Louisville et ils ne pensaient qu'au cul.

A peu près une fois toutes les vingt minutes, il fallait que je les ramène à la dure réalité de la radio. Ils étaient vraiment très sympas, mais alors qu'est-ce qu'ils étaient connards, c'était extraordinaire.

J'étais logé, en tant que professeur, avec d'autres professeurs. Un jour, ils m'ont joué un sale tour pour se moquer de moi.

Il y avait une inspection et c'était écrit sur le tableau d'affichage que tout le monde devait être hors des baraquements pour... mettons 7 heures du matin. Je ne l'ai pas vu.

J'étais sorti très tard la veille parce que ce matin-là j'étais de congé et les autres m'ont laissé dormir.

Le commandant est arrivé avec un ami officier qu'il avait invité à inspecter nos baraquements et ils m'ont trouvé là en train de ronfler.

J'ai eu une punition : je ne devais pas sortir pendant une semaine. J'étais confiné à l'école, au réfectoire et dans le baraquement.

Alors j'ai fait un mannequin, un très bon mannequin que je mettais dans mon lit et je suis sorti toutes les nuits. Ma façon de dire : merde.

Voilà, la guerre rageait dans le monde et moi j'étudiais et j'enseignais la radio en paix. Ça ne gênait pas ma conscience. Simplement, j'y pensais. Je faisais mon travail, quoi.

8

Je vais raconter un tournant dans toute mon existence.
Il y avait à FORT KNOX deux grands foyers pour les soldats,
tenus par le service de divertissement des troupes. Des endroits énormes.
On pouvait jouer aux cartes, il y avait des films, le café était gratuit,
avec du lait et du sucre si on voulait, je crois même qu'on donnait quelques cigarettes
et des doughnuts. C'était sympa.

Un soir, dans un de ces clubs, je grimpais un petit escalier et je me suis trouvé à côté d'une porte. Une porte quelconque.

Je l'ai ouverte.

Je passais subitement de 500 personnes à 5 ou 6. Les murs étaient insonorisés. On n'entendait rien du brouhaha de l'extérieur.

Il y avait un piano, des fauteuils de cuir très confortables, de jolis doubles-rideaux aux fenêtres et surtout un excellent appareil électrophone, dernier cri pour l'époque, qui jouait les 78 tours.

La collection de disques était admirable.

J'ai appris plus tard que ça avait été monté par un groupe de femmes qui voulait faire quelque chose pour les soldats. Inutile d'ajouter que ça ne ressemblait en rien à ce que j'avais connu de l'armée jusqu'alors.

Et donc, en entrant dans ce salon de musique, je me suis trouvé dans un monde où je vis encore aujourd'hui, qui est le monde de la belle musique.

Je suis devenu presque le chef, là-dedans. Soir après soir, avec deux ou trois autres, on menait le jeu.

Je n'ignorais pas l'existence de la belle musique, mais alors là, c'était une révélation. J'aurais pu rester comme enseignant de radio pendant dix ans tellement j'étais heureux de recevoir cette musique.

Il y avait du BACH, du SCHUBERT, du HAENDEL, de superbes quatuors de BEETHOVEN par l'ORIGINAL BUDAPEST STRING QUARTET et beaucoup d'autres merveilles.

FRANZ SCHUBERT
STRING QUARTET IN D MINOR · D 810
A. ALLEGRO
DEATH AND THE MAIDEN

UDWIG THOV
LIN CON

Et puis il y avait des soldats qui s'y connaissaient très bien et m'expliquaient. Par exemple, un gars assez snob qui étudiait la musicologie avant d'être incorporé.

Un autre ami élève connaissait un groupe à l'université de LOUISVILLE qui donnait des concerts de disques. Ce garçon, David DIAMOND, avait de l'argent et si on pouvait avoir une perme en même temps, il me payait une chambre d'hôtel à LOUISVILLE et on allait au concert.

C'était très très select. Peut-être vingt personnes dans un petit salon cossu. On écoutait des opéras qu'un présentateur commentait. J'ai connu DON GIOVANNI comme ça.

J'ai aussi rencontré au music room de FORT KNOX un élève radio, Amiel Philip VAN TESLAAR. Charmant. C'était un génie. Je crois qu'il avait un Q.I. de 150, qui est le début du génie.

Il connaissait personnellement ce grand philosophe qui s'appelle... Il est mort maintenant. Très moderne. Oh, qu'importe ! Ça me reviendra.

C'était le descendant d'une famille de DARK DUTCH, les Hollandais noirs.
Vous savez qu'il y a deux sortes de Hollandais : il y a les Hollandais comme on pense, germaniques, et il y a ceux qui sont remontés depuis l'Espagne.
Ces gens-là étaient souvent juifs, mais souvent aussi de descendance mauresque.
Autrement dit, bronzés de peau.

Il savait tout, Amiel.
Tout de la musique,
tout des maths, tout
de la littérature.
Il avait déjà lu tout
PROUST, par exemple.
Il détestait l'armée,
bien sûr, détestait
la radio.

Il était enchanté par le music room.
Souvent, il était si pressé d'arriver qu'il ne s'était pas changé,
il n'avait pas mangé et il avait les cheveux pleins de poussière rouge.

Amiel, secoue donc tes cheveux. Ils sont pleins de terre.

Je m'en fous. Je suis venu pour écouter la musique, pas pour me laver la tête.

Il jouait un peu au tennis, alors je me suis arrangé pour avoir deux raquettes et on jouait.

On allait quelquefois en ville et on essayait de boire, mais on était jeunes et à l'époque il fallait montrer sa carte d'identité : si on n'avait pas 21 ans, on ne pouvait même pas commander une bière dans les bars de LOUISVILLE, ni en acheter dans les magasins.

Mais Amiel disait :

Je veux de la BÉNÉDICTINE.

Alors nous avons fini, je ne sais pas avec quelle astuce, par convaincre un marchand de vin de nous vendre une bouteille de bénédictine.

Je veux aussi qu'on ait des PONEYS.

Les poneys, ce sont ces tout petits verres à pied, très très fins, dans lesquels on met des alcools forts pour en avoir une petite quantité. On les a trouvés dans une cristallerie.

Je cachais la bouteille et les poneys dans mon baraquement. Quand on allait jouer au tennis, on les emmenait.

C'est agréable de boire la bénédictine dans les poneys. Au goulot, ce n'est pas assez raffiné.

(Car malgré la terre dans les cheveux, il était extrêmement raffiné.)

51

Amiel, je l'aimais beaucoup. On s'entendait à merveille. Et puis je suis parti faire la guerre en Europe et je l'ai complètement perdu de vue. Complètement.

Longtemps après, quand on a supprimé mon emploi civil auprès de l'armée de l'air à CHÂTEAUROUX, en 1953, je suis allé au quartier général d'ORLÉANS, service du personnel civil, pour essayer de trouver une autre place.

Je m'asseois dans une salle d'attente, je regarde à gauche... non ! A droite, et qui est-ce que je vois ? Amiel ! Haha !

Il était assis là, dans le même but que moi. Sauf que lui, il avait toutes sortes de diplômes et il a trouvé facilement du travail.

Moi, je n'ai rien trouvé pendant un an. Une période de ma vie absolument catastrophique.

J'ai fini par être embauché par les services judiciaires de l'armée de terre américaine à LA ROCHELLE. En mai 1954. Je n'avais plus un sou en poche. Et qui est-ce que je vois ? De nouveau Amiel !

Il avait trouvé un très bon poste, très bien payé, à LA ROCHELLE. Il était marié à une Française. Il m'a dit :

Tu peux venir manger avec nous le soir, comme ça, jusqu'à ce que tu regagnes assez d'argent.

Parce que j'avais la place mais pas assez d'argent pour manger. J'ai mangé une demi-baguette par jour pendant un certain temps.

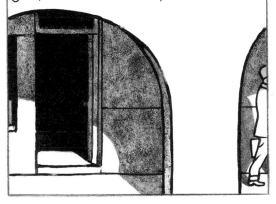

Alors, nous nous sommes revus un peu, puis après plus du tout et c'est dommage, parce que vraiment, c'était un ami. J'ai su 23 ans plus tard qu'il était devenu le directeur de l'Université américaine de PARIS.

J'ai écrit mais je n'ai pas eu de réponse. Je ne sais pas s'il a eu ma lettre.

Au fait, le nom du grand philosophe, ça me revient maintenant : c'était Bertrand RUSSELL.

9

Enfin, l'ordre est venu que tout militaire en état de se battre qui avait passé dix-huit mois ou plus aux États-Unis sans aller sur un théâtre de guerre devait être affecté à une unité en préparation pour le combat.

Mes jours de professeur ont pris fin subitement et on m'a envoyé à FORT BENNING, en Georgie, dans les blindés.

J'y ai rencontré plusieurs de mes anciens élèves qui étaient devenus radios.

Le plus drôle, c'est qu'il n'y avait plus de poste de radio pour moi et je me suis retrouvé sur le siège arrière d'une jeep, comme patrouilleur-fusilier.

La vie n'était pas agréable.
Il faisait froid, c'était l'hiver et ça rendait pénible
ce travail de patrouilleur.

On nous faisait ramper de part et d'autre de la
jeep, deux à droite et un à gauche, pour
inspecter les bas-côtés de la route, les
bosquets, etc. Je me suis dit :

C'est pas vrai, je vais pas passer
toute la guerre à ramper comme ça ?

Heureusement, le chef de cette jeep, le sergent
JOHN MARKER, était un type épatant. Nous
sommes devenus de très bons amis. Il m'a dit :

COPE, il faut absolument
que tu apprennes à
conduire autre chose
qu'un char.

Mais je
comprends !
Fais-moi
conduire !

Alors chaque fois qu'on avait un bon bout de route à faire
il me laissait conduire et j'ai appris assez vite.

Enfin, je n'étais pas un bon conducteur,
mais je savais au moins changer les vitesses
et même mettre la jeep en quatre roues motrices.

Il y avait tout un mélange de soldats à FORT BENNING, quelques-uns exceptionnels,
pour la plupart pas trop chouettes. Des incapables et des tire-au-flanc.
Mais pas des tire-au-flanc qualifiés, comme moi, des tire-au-flanc
qui ne savaient rien faire du tout.

Un de mes camarades était un hillbilly très sympa
des montagnes de l'OZARK qui avait passé toute
sa vie pieds nus.
Ça lui faisait très très mal de mettre des chaussures.

J'ai pensé que je pourrais peut-être faire
quelque chose de mieux et un copain et moi
avons demandé à aller à l'école des officiers.

On y restait
deux ans et
on en sortait
lieutenant.

J'ai été interviewé par une commission d'officiers.
Seulement, je n'en savais pas assez au sujet de l'organisation d'une armée,
pour la simple raison que ça ne m'avait jamais intéressé.

Comment fonctionne une division ?
Qu'est-ce qu'il y a dedans ?
Que font les différentes armes ?

J'ai donné
des réponses
plutôt vagues,
dans l'ensemble.

A un moment, il fallait reconnaître sur le col de chemise de chaque officier l'insigne de son arme. Ça, j'aurais peut-être pu le faire pas mal.

Mais ils étaient en hauteur, comme dans un tribunal et derrière eux il y avait des baies vitrées, tout le long.

Subitement, le soleil couchant est apparu et m'a donné droit dans les yeux.

Excusez-moi, je ne vois absolument rien avec le soleil.

Ils ont rigolé et n'ont rien fait pour m'aider.

De toute façon, je n'étais pas matière à faire un officier.

Je n'étais pas
suffisamment
militaire, j'étais
davantage rêveur.

10

Pendant que j'étais à FORT BENNING,
j'ai reçu une lettre de LOU, qui était
dans un autre camp, assez loin.

Il proposait qu'on essaie de se revoir
une dernière fois.

Il avait obtenu par tirage au sort
une perme de 24 heures, ce qui fait,
pour un week-end, presque deux jours.

Dans sa lettre, il disait :

" Si tu peux avoir une perme aussi,
il y a une petite ville entre ton camp
et le mien où nous pouvons arriver
en autocar en peu de temps. "

(J'ai oublié le nom de cette petite ville,
je le regrette.)

" Un car quitte FORT BENNING tel jour
à telle heure, tu arriveras dans cette petite
ville vers le milieu de l'après-midi.
Nous pourrions louer une chambre
d'hôtel, dîner ensemble, bavarder
aussi longtemps que ça nous plaira
et prendre le petit déjeuner
le lendemain matin avant de rentrer.

Ecris-moi vite. "

Il s'était même donné la peine
de chercher les horaires de car
pour moi.

Je suis allé voir le premier sergent, je lui ai expliqué notre cas et je lui ai demandé s'il y avait moyen d'avoir une perme de 24 heures.

A ma grande surprise, il a été très compréhensif.

Ton copain est bien gentil d'arranger ça et je vais t'aider. Je peux t'avoir ta perme et je vais vérifier les horaires.

Il les a vérifiés et ça collait.

Alors, le jour prévu, j'ai pris mon car, enchanté que Lou ait pensé à organiser ça.

Moi, je n'aurais pas eu cette idée.

On s'est retrouvé. On n'était riche ni l'un ni l'autre, mais on avait mis assez d'argent dans nos poches respectives pour louer une belle chambre dans un hôtel qui se présentait très bien.

On a beaucoup bavardé, on s'est raconté nos vies, ce qu'on avait fait, ce qu'on n'avait pas fait, les nouvelles des familles, jusqu'au dîner.

Avant le repas, on s'est même permis un cocktail alcoolisé, chose qu'on ne faisait jamais et je me souviens qu'on a pris des DRY MARTINIS. C'est fait avec à peu près trois cinquièmes de gin et deux cinquièmes de NOILLY-PRAT. Très bon. Très fort. Les Américains adorent ça.

Évidemment, on a bavardé la moitié de la nuit, jusqu'à ce qu'on s'endorme.

Le lendemain, après le petit déjeuner, nous nous sommes dit au revoir, sachant que cette fois on ne se reverrait peut-être plus jamais et très contents de notre amitié.

Voilà. Au revoir, Lou.

C'était juste avant qu'il ne quitte les États-Unis pour la guerre. Ah, il vous aurait plu. C'était un gars vraiment bien. Un homme très droit, très fort. Et comme c'est indiqué ailleurs dans cette histoire, je n'ai pas eu de ses nouvelles pendant très longtemps.

11

Pendant les vingt mois qu'a duré mon service militaire, je ne suis retourné que deux fois dans ma famille, en Californie.

Il faut dire que le trajet aller-retour en train prenait dix jours.

Et dans des trains ultra-bondés.

La première fois était très triste.
Mon grand-père COPE était mort pendant mon entraînement de base, je n'avais pas pu rentrer pour ses funérailles et ma grand-mère COPE était dans un état désespéré.

Elle était dans un monstrueux hôpital de Los Angeles, tellement immense que le personnel ménager se déplaçait en patins à roulettes.

On l'avait mise dans une grande salle parmi une trentaine de personnes.

J'avais toujours été très très proche de ma grand-mère paternelle, on s'aimait beaucoup. Elle n'aimait pas ma belle-mère, ma belle-mère ne l'aimait pas, donc il n'était pas question de s'en occuper à la maison.

Je peux le comprendre.

J'étais en uniforme. On n'avait pas le droit d'être en civil pendant les permissions. Elle était contente de me voir, bien sûr, mais elle était triste comme peut l'être une personne qui va mourir.

Elle a fait un effort pour parler un peu.

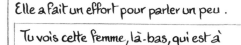

Tu vois cette femme, là-bas, qui est à l'entrée de la salle, dans le premier lit ?

Oui.

Eh bien, figure-toi que c'est une hermaphrodite.

Ah bon ?

Cela m'a surpris qu'elle connaisse ce mot.

Je n'en avais jamais vu.

Au fond, elle remarquait ce qui se passait autour d'elle.

Peu de temps après, elle est morte. Toute sa vie a été très difficile. C'est une autre histoire. J'ai sa bague de fiançailles, que je porte en souvenir.

Mon alliance actuelle est aussi la sienne, que j'ai faite agrandir.

Cette fois-là, j'ai aussi vu MARTHA et je suis sorti avec EGYPTE.
On a vu "Autant en emporte le vent."

Ma belle-mère était furieuse.

Je t'avais interdit de voir ce film !
C'est plein de jurons et de gens
qui couchent les uns avec les autres !

Pourtant, elle n'était
pas tellement puritaine.
Elle était bizarre, c'est
tout ce que je peux dire.

Mais qu'est-ce que
tu crois, je l'ai vu,
ça me plaît, voilà
tout, tais-toi.

Petit, je lui obéissais.
Plus tard, naturellement,
je n'obéissais plus
du tout.

Nous nous entendions bien, cependant,
parce que j'étais un gentil garçon bien élevé
et que je voyais mon père content d'avoir
une jeune femme. Je la traitais donc bien,
mieux qu'elle ne me traitait, ça c'est certain.

Pour la deuxième permission, j'ai eu de la chance ;
j'ai été tiré au sort juste avant les grandes
manœuvres qui allaient précéder notre départ
au combat.

Le premier train que j'ai pris, je devais le héler comme un tramway. J'ai pu, grâce à lui, rejoindre une gare où passait le train qui allait en Californie par la voie sud.

C'était un voyage difficile, parce que c'était l'hiver, qu'il n'y avait rien à manger et des gens couchés partout dans les couloirs ou les filets à bagages. J'ai eu une place assise, c'était un miracle.

Il n'y avait absolument aucun service de bouffe, sauf qu'on s'arrêtait dans les gares et là, il y avait des vendeurs de sandwiches, de coca-cola, de café, etc. On achetait par la fenêtre.

J'avais une place à côté du couloir et je ne l'ai pas lâchée, sauf pour aller aux toilettes. Ma voisine me la gardait.

L'avant-dernier jour, je sors des W.C. et je vois les jambes d'un type qui allait disparaître par la fenêtre. Il sautait du train, il allait se tuer, quoi.

Heureusement, il était tout petit et j'ai pu l'attraper et le tirer à l'intérieur.

C'était un petit marin de dix-huit ans, complètement ivre, ivre mort. Il ne tenait plus debout.

Je l'ai porté jusqu'à ma place et je l'ai gardé sur mes genoux toute la journée et toute la nuit sans connaissance.

Le lendemain matin, finalement, il s'est réveillé.

Qu'est-ce que je fais là ?

OH! Vous me faites mal !

Comment ça, je te fais mal ? Je te fais pas mal !

Ah, c'est mon peigne ...

Son peigne lui était rentré dans la cuisse pendant tout ce temps. Je ne pouvais pas le savoir, moi.

Qu'est-ce que je fais chez vous ?

Ben, tu ne te rappelles de rien ?

Non.

A la gare de Los Angeles, j'ai eu le plaisir de voir mon père, ma belle-mère Caroline et ses parents qui m'attendaient.

J'ai donc passé quelques jours comme ça, c'était bien, j'ai vu des copains et j'ai beaucoup vu la famille ZEDIKER, la famille d'EGYPTE.

Les parents de ma belle-mère, qui habitaient dans la même rue qu'EGYPTE, presqu'en face, n'aimaient pas les ZEDIKER. Ils ne supportaient pas l'idée que je les fréquentais.

Tout ça, c'était basé sur rien du tout, simplement sur l'idée qu'ils avaient une mauvaise réputation.

Ils n'avaient pas DU TOUT une mauvaise réputation.

Bref, la nuit de mon départ est arrivée très vite, je devais être accompagné à la gare par ma famille et les ZEDIKER sont venus aussi.

Et alors ma famille a fait la gueule quand ils ont vu ces gens.

Ils m'ont à peine dit au revoir, tellement ils étaient outrés que mes amis soient venus.

De la part de mon père ça m'a étonné, je n'ai jamais compris ça. Je crois que c'était un homme, je ne dirais pas timide, mais qui n'aimait pas heurter la sensibilité des gens et il devait trouver, probablement, qu'il n'avait qu'à se taire.

Mes amis m'ont beaucoup embrassé, ma famille à peine et finalement, c'est Caroline qui est venue jusqu'à la portière du train et m'a tout de même embrassé encore une fois et dit au revoir.

J'ai été très choqué et, étant donné que je m'appelle Alan COPE, très en colère. J'étais outragé, furieux.

Je n'ai pas versé de larmes, ne vous en faites pas, mais je me suis dit : "c'est pas possible, une affection familiale qui peut être aussi hypocrite n'est pas vraie."

Je leur ai écrit une lettre où je leur ai vraiment dit ce que je pensais, en termes bien pesés.

Comment ? Vous avez un fils que vous voyez peut-être pour la dernière fois, qui va peut-être se faire tuer à la guerre, et tout ce que vous trouvez, c'est d'agir ainsi ? Je suis très déçu par vous.

J'en ai envoyé une copie à tout le monde. C'est peut-être pour ça qu'ils ne m'ont pas beaucoup écrit quand je suis parti.

J'étais très très en colère,
mais j'ai dit tant pis,
ça je m'en fous,
c'est MON aventure,
c'est MON aventure dans la guerre
et je ne vais pas me laisser…
Parce que pour moi, voyez-vous,
étant donné qu'il FALLAIT aller à la guerre,
je m'étais toujours dit :
je vais prendre ça comme une aventure,
je ne vais pas trembler,
je ne vais pas dire que c'est une tragédie personnelle,
je fais comme tout le monde
et c'est peut-être pour ça que je n'ai jamais eu peur.
C'est très curieux,
je n'ai PAS eu peur pendant la guerre.
J'avais décidé une fois pour toutes
qu'arriverait ce qui arriverait.

12

A peine rentré de permission, j'ai été envoyé en manœuvres deux semaines.
Mon bataillon était déjà sur place et je l'ai rejoint, seul à l'arrière d'un camion d'approvisionnement.
Je sentais, on sentait tous qu'on allait bientôt partir pour la guerre.

J'avais appris précédemment à me servir d'une arme très spéciale. Presque personne n'arrivait à atteindre la cible avec ça, mais moi j'y parvenais.

Il fallait utiliser la petite carabine, on fixait un adaptateur dessus, on mettait sur ça une espèce de longue grenade et c'était censé faire exploser un char.
D'ailleurs, ça marchait, c'était un engin terrible. Mais alors le problème, c'était de tirer avec.

On s'asseyait par terre, les jambes croisées en tailleur et le dos rond, le coccyx très arrondi.

On épaulait la carabine et on la serrait bien, parce que le recul était invraisemblable. (Debout, on se serait cassé l'épaule ou le dos.)

Il n'y avait pas de dispositif spécial pour viser, c'était au pifomètre.

PAH

On tirait en l'air, parce que cette chose offrait tellement de résistance à la détonation, qu'évidemment ça ne pouvait pas avoir une trajectoire droite.

La grenade montait en l'air, décrivait une courbe et devait redescendre sur le char.

Pendant ce temps-là, on était brutalement envoyé en arrière par le recul, on faisait un roulé-boulé et on se retrouvait de nouveau assis. Evidemment, il ne fallait pas lâcher son arme. Si on le faisait comme il faut, on n'avait pas mal. Sinon, on se blessait. Vous voyez un peu.

Dans les manœuvres, il y a toujours deux camps adverses. Comme j'étais bon, on m'avait choisi pour éliminer un char qui devait paraître, subitement, entre des arbres.

Il y a deux raisons pour lesquelles je me suis fait piéger par une mine antipersonnel. Primo, le cordon qui l'actionnait était très évident, mais j'étais tellement concentré sur la venue du char que je ne pensais à rien d'autre.

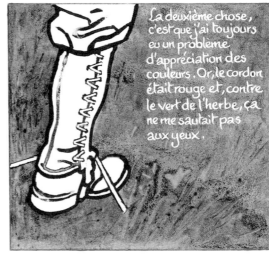

La deuxième chose, c'est que j'ai toujours eu un problème d'appréciation des couleurs. Or, le cordon était rouge et, contre le vert de l'herbe, ça ne me sautait pas aux yeux.

Ce qui a sauté, par contre, c'est la fausse mine à pétard, et donc je suis mort.

J'étais affreusement gêné et j'ai essayé de demander pardon, mais enfin, ce n'est pas un langage militaire. L'observateur était furieux.

Mais tu es mort, COPE ! Qu'est-ce qu'on va faire ?

On entendait le char approcher. Il a consulté rapidement un autre chef et il m'a dit :

Bon, allez, tu n'es que légèrement blessé. Tu vas tirer quand même.

Assieds-toi et tire dès que tu vois le char en entier.

Je me suis dit :
il faut absolument
que tu l'aies.

Eh bien je l'ai eu.
En plein milieu.

PAH

Évidemment, ça n'a pas explosé, mais la grenade a fait TOC contre le blindage.

Voilà.

On mangeait très peu pendant ces manœuvres.
J'ai beaucoup maigri.

Un soir, un soldat a dit :

Je suis allé me promener hier soir dans les bois, et j'ai rencontré un bûcheron qui vit là, dans sa cabane. Si on y va tout à l'heure, il nous vendra un petit repas avec un beau steak pour pas cher.

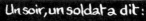

On ne mangeait jamais de vrai bon steak à l'armée.
Quant à moi, c'est bien simple, je n'en avais jamais mangé.
Je venais d'une famille où on prenait des choses moins chères, comme la viande hachée.
Alors, j'ai suivi le mouvement.

On a marché une bonne heure dans les bois et on s'est retrouvé, effectivement, devant la cabane d'un bûcheron.
Ça aurait pu être un siècle auparavant.

Nous sommes entrés dans la cuisine, qui était excessivement rustique.
On a mangé un bon steak et bu un bon café.

Je crois que j'ai payé un demi-dollar.

13

De retour au fort, ont commencé les grands préparatifs de départ.
Étant donné qu'on était sur la côte est, et dans une unité blindée,
on se doutait depuis longtemps que notre destination
serait l'Europe.

J'ai été informé qu'on me nommait canonnier,
en remplacement d'un garçon malade.

Et pourquoi moi ?

Parce que ton dossier dit que tu atteins la cible dans tous les tests.

J'étais enchanté de quitter la jeep et ma place de patrouilleur.

C'était un poste de canonnier dans ce qu'on appelle
un "armored car". En français : engin blindé de
reconnaissance. Ça ressemble à un char, mais
c'est monté sur roues.

Le canon n'est pas offensif, mais il est long
et assez gros. Il faut le nettoyer tous les jours,
même si on ne s'en sert pas.

La bonne surprise, c'est que le chef de mon armored
car était mon ami JOHN MARKER.

Écoute, COPE, avant de partir, ce serait bien que tu tires au canon.

Ben oui, je ne l'ai tiré qu'en simulation.

Alors on s'est entrainé au champ de tir pendant une demi-journée.

Je suivais ses commandements et ça marchait bien.

Le radio s'appelait KULIK, un juif new-yorkais dont les parents avaient une épicerie fine.

Le conducteur, c'était POLSKI. Un gars d'origine polonaise, évidemment.
Il conduisait, dans le civil, des camions transporteurs de dynamite.

On va beaucoup reparler d'eux, plus tard.

Le moment du départ est venu. On est parti trois fois. On prenait véritablement la route mais on n'embarquait pas, on revenait au fort. C'était le système américain pour que les soldats s'habituent à la tension.

C'est vrai qu'à la troisième fois, on s'est dit : "Non ! Pas encore ! Si cette fois pouvait être la bonne, on serait soulagé parce qu'il faut tout faire et défaire à chaque fois." Mais c'était bien le vrai départ.

On ne savait pas vers quel port on allait. On ne nous tenait au courant d'aucune destination. Bref, on s'est retrouvé au pied d'un immense paquebot et on a embarqué.

Je n'étais plus avec MARKER et les autres. Je ne connaissais personne autour de moi.

C'était un ancien paquebot de luxe italien, pris par les Américains et complètement converti en transport de troupes.

Il était très grand, probablement six ou sept ponts en tout.

Il y avait partout partout des couchettes à deux ou cinq niveaux et, entre, des allées étroites pour se déplacer.

On nous a dit qu'une division entière était sur le bateau. Ça fait à peu près dix mille hommes, quoi. En tout cas, il y avait beaucoup de monde.

76

C'était le mois de février 1945 et la tempête sur l'Atlantique n'a pas cessé.

Ça remuait beaucoup et presque tout le monde était malade. Mais pas moi, ni quelques rares autres gars.

Alors on faisait ce qu'on voulait. Les sous-offs étaient malades aussi et ne nous obligeaient pas à travailler ni rien.

Il y avait partout de gros bidons de 200 litres pour vomir dedans. La plupart des gens ne mangeaient pas, donc, nous, on mangeait très bien.

Les cuisiniers n'allaient pas jeter toute la bonne nourriture, alors ils sortaient les meilleurs morceaux pour nous. Steak tous les jours !

Ça vaut la peine de décrire comment on mange dans ces conditions. Il y avait des pièces réservées pour manger. Les tables étaient grandes et hautes, parce qu'on ne s'asseyait pas, on restait debout.

Ces tables étaient recouvertes de zinc avec un rebord tout autour d'à peu près dix centimètres. Heureusement !

Parce qu'avec la tempête, si on ne tenait pas son assiette, on la retrouvait à l'autre bout de la table.

Il n'était pas question de poser un gobelet, ni même de le tenir plein. Il fallait boire dès qu'il était rempli et puis le garder en main ou l'accrocher à sa ceinture. Sinon, ça fichait le camp aussi.

Au dortoir, il y avait à la couchette au-dessus de la mienne un bonhomme d'au moins 150 kilos.

Quand il était couché (c'est-à-dire souvent, parce qu'il était malade et bougeait peu), je ne pouvais pas entrer dans ma couchette ni en sortir, à moins de le faire lever.

Il se levait pour être gentil, mais ça le fâchait parce qu'il était vraiment malheureux.

Son poids faisait s'enfoncer la toile de la couchette et plier les barres de soutènement. Quand j'étais allongé, ça allait à peu près, je pouvais même me retourner en forçant un peu, mais je ne pouvais pas passer entre les deux barres.

J'aimais quand même bien l'idée d'être en bas et je m'arrangeais avec ça.

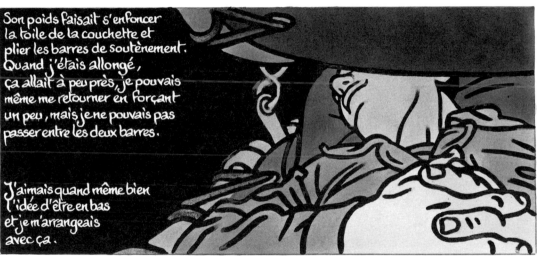

Un jour où j'étais dans une autre partie du bateau, j'ai vu un garçon qui occupait une couchette à deux niveaux seulement et qui, donc, pouvait se tenir assis sur son lit.

Il avait des cartes et jouait au solitaire.

Quelle chance tu as ! Moi, je ne peux pas m'asseoir sur mon lit.

Je lui ai raconté pourquoi et c'est comme ça que j'ai rencontré DOMINIQUE D'ANTONA.

Il avait un physique d'Italien très viril, avec une élocution instruite et élégante. C'était un gars sûr de lui et visant haut.

On est devenu copains et on se voyait matin, midi et soir. On a échangé des notions sur la musique. Il jouait du violon et avait monté un quatuor avant d'être appelé.

Il gagnait toujours aux cartes. Comme il était généreux, il me payait des choses.

Moi, je ne jouais pas aux cartes, mais si j'avais joué, je n'aurais pas gagné d'argent, je me connais.

Presque personne ne prenait de douche, parce que c'était difficile.
A vrai dire, c'était dans un endroit conçu pour laver le matériel, pas les gens.

Un tuyau sortait du mur et il n'y avait absolument rien pour se tenir. Les parois et le sol étaient lisses et même gluants.

Il fallait être deux. L'un se tenait dans un coin, entre deux pans de mur, et l'autre arrosait.

HAHA. C'était vraiment des conditions déplorables.

J'ai adoré la tempête.

On n'avait pas le droit de sortir, mais on a trouvé une porte mal fermée qui donnait sur un petit poste d'observation juste au-dessus des vagues.

Alors on ne disait rien à personne et on sortait, DOMINIQUE et moi, regarder la tempête.

Le matin, les vagues étaient immenses et quand on était dans le fond d'un creux, on voyait le soleil se lever à travers l'eau.

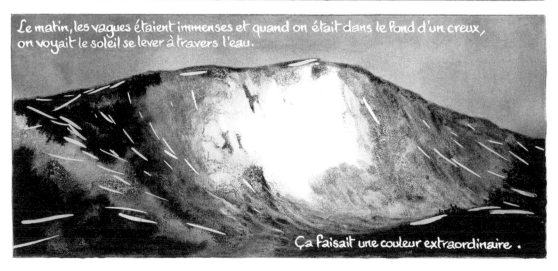

Ça faisait une couleur extraordinaire.

Pendant la traversée, comme la vie de l'administration militaire continue, on est venu m'annoncer :

COPE, tu es nommé première classe.

Voici tes galons. Tu as de quoi les coudre ?

Oui.

Ben couds-les tout de suite.

Après tout ce temps ! Ça m'a permis d'être un peu mieux payé et de pouvoir acheter plus facilement mon chocolat, mon coca ou mes cigarettes.

On gagnait très peu dans l'armée.

Un matin tôt, on nous a subitement prévenus : "On débarque." Nous nous sommes retrouvés à quai.

La remise du paquetage était bien organisée, on n'a pas eu à attendre. Je devrais dire DES paquetages, parce que c'était un barda incroyable.

Normalement, un homme ne peut pas porter tout ça. Une partie est transportée par camion. Mais il n'y avait pas de camion. Le sergent a dit :

Ramassez vos affaires et suivez-moi !

On était en France. Pour autant que je le sache, au Havre. La ville était complètement détruite.

On a vu comment
avait été la guerre
avant que nous arrivions.
A l'époque, évidemment,
les Allemands étaient loin.

La chaussée était en mauvais état.
Les bâtiments à droite et à gauche
presque inexistants.

Personne n'était capable de porter autant de
choses. On essayait d'en tirer une partie
derrière soi mais c'était défendu.

Le sergent nous faisait
arrêter très souvent
pour respirer un peu.
C'est au cours d'une de
ces haltes que STANLEY,
le gars qui était à côté
de moi, m'a dit :

Eh bien, COPE !
On va s'en
souvenir, de
ce 19 février !

On est le 19 février ?

Oui.

14

J'ai donc débarqué en France le 19 février 1945, jour de mes vingt ans.

On nous a mis dans des wagons qu'on appelle des quarante et huit. Ce sont de vieux wagons en bois, très simples, avec des portes coulissantes.

Quarante et huit signifie quarante hommes debout ou huit chevaux debout. Ce n'est pas fait pour transporter quarante hommes couchés. Et les chevaux, comme vous savez, ne se couchent pas.

On est resté assez longtemps à attendre et, finalement, le train a démarré, lentement, à travers un paysage pas très attirant.

Beaucoup de destructions.

Quelquefois, on passait au-dessus d'un fossé et on regardait par la porte, vers le bas, mais on ne voyait plus de voie. Il ne restait que les rails, sans traverses. Ça n'a pas cédé.

Le train s'arrêtait assez souvent pour le "PISS CALL", appel de pipi. Tout le monde sortait et faisait ce qu'il avait à faire dans la campagne.

La nuit est tombée et nous sommes arrivés entre deux très hauts murs de pierre où on voyait écrit

PARIS !

On approche de Paris !

Nous allons à Paris !

Formidable !

Le train s'est arrêté entre ces deux murs. Défense de sortir.

90

J'ai eu le temps de regarder ce mur
parce qu'on est resté là presque toute la nuit.
C'était un mur noir d'âge et de fumée de charbon,
en maçonnerie de pierre,
où était écrit le mot

PARIS

en lettres majuscules
avec de la peinture blanche,
qui de toute évidence avait été posée rapidement
par un gros pinceau.
(Je dis rapidement parce que la peinture blanche
n'était pas entrée dans le mortier
qui séparait les pierres.)

Eh bien, je ne peux pas m'empêcher
d'associer dans ma mémoire l'image de ce mur
et ce que Lou m'a dit
quand je lui ai rendu visite chez lui,
dans le New Jersey, après la guerre.
Il m'a appris qu'il avait été parmi
les premiers soldats américains
dans Paris libéré.

La liesse du peuple était quelque chose
d'extraordinaire. Et tu sais, Alan, là,
j'ai vraiment baisé. Oh la la! J'ai baisé,
baisé, baisé, mais c'est fou comme j'ai pu
baiser! Mon Dieu, que j'ai baisé, c'était
merveilleux...

Quant à moi, je suis resté coincé dans ce wagon. On s'est organisé pourse coucher, à tour de rôle ou les uns sur les autres.

Et puis le train est reparti en sens inverse.
On n'a rien vu d'autre de Paris que les murs de cette espèce de rivière à sec, à l'approche d'une gare, je ne saurai jamais vraiment laquelle.

Donc, tout ce qu'on avait fait, c'était d'aller à Paris pour changer de rails, changer de voie, et une autre locomotive nous a fait rebrousser chemin, quoi.

On s'est retrouvé finalement, le lendemain, à GOURNAY-EN-BRAY, en Normandie.

15

Nous sommes restés cantonnés en Normandie deux mois,
parce que l'armée avait égaré nos armes et nos véhicules.

On nous a dit : "Il paraît qu'on ne sait pas où sont nos véhicules,
ils ne nous ont pas suivis comme ils auraient dû.
Ils sont allés ailleurs."

Nos armored cars, nos jeeps, nos canons, nos mitrailleuses, nos bazookas, nos mortiers,
tout ça avait été mal aiguillé. On n'avait pas d'armes du tout. Seuls les officiers
avaient des pistolets. Quant aux véhicules, zéro. Sauf quelques camions,
qui n'étaient même pas à nous.

C'était une situation complètement loufoque.

J'ai retrouvé là Marker, Kulik et Polski.
Avec l'équipage d'un autre véhicule, nous
logions derrière une ferme, au premier étage
d'une grange, où il y avait deux vaches.
Ce qui était très bien, parce que les vaches
donnaient une bonne chaleur.

Il y avait très peu d'activité agricole, dans
cette ferme, parce qu'il n'y avait pas grand
monde pour travailler.

Une sorte de petite maison en dur, d'une seule
pièce, avec une cheminée et sans fenêtre, à
côté de notre grange, servait de poste de
commandement aux sergents. Le capitaine
était dans une autre ferme, plus loin.

Alors, ça nous a fait deux mois de repos relatif. C'était assez ennuyeux, comme vie.
On nous faisait faire des marches, étudier des manuels militaires qu'on nous lisait.
Moi, je bavardais, je me promenais.

De l'autre côté d'une petite vallée était cantonnée l'unité de DOMINIQUE D'ANTONA. J'allais souvent le voir parce que lui ce n'était pas tellement un marcheur.

On nous disait de faire attention, que l'ennemi était partout, de ne pas nous associer trop intimement avec les populations, etc. C'était surtout pour nous entraîner, en prévision des territoires où ce serait vrai.

Il faut dire qu'à la même époque, les Américains avaient à peine traversé le Rhin. Et il y avait encore des Allemands dans l'est de la France. Lou, par exemple, a été pris dans l'effroyable "battle of the bulge", l'encerclement des forces alliées que vous appelez, vous, la contre-offensive des Ardennes.

Moi, je n'écoutais pas tellement les directives. J'allais à la nuit tombée, à travers bois, pour rejoindre Dominique. J'avais un grand couteau que mon père m'avait donné. Très long, superbe chose. Je le mettais dans ma botte et je traversais la vallée, seul. Je n'ai jamais rencontré âme qui vive.

J'arrivais donc assez vite auprès de Dominique et on allait ensemble à GOURNAY.

C'était mort, GOURNAY. Vous savez, toute la France n'était pas abîmée, mais toute la France était détériorée. Il n'y avait pas encore de quoi réparer les choses.

Dominique continuait à gagner aux cartes et me payait souvent un repas dans un petit café. Le cafetier avait vu qu'il pouvait gagner pas mal d'argent en servant les soldats américains.

Il y avait peu à manger, mais c'est là où j'ai pu goûter ma première eau-de-vie.

C'est aussi dans ce café que j'ai vu pour la première fois des toilettes consistant en un long banc de bois percé de deux trous côte à côte. Les hommes et les femmes y allaient, au besoin en même temps.

Dominique avait un flirt à GOURNAY qui s'appelait MIMI, très jolie. Seulement, il était déjà fiancé aux États-Unis et il ne voulait pas aller trop loin. Il me disait :

Je dois absolument voir MIMI, Alan, même si ça me fait terriblement mal aux couilles.

Alors, je l'accompagnais chez elle parce que, seul, il n'aurait pas résisté.

Dominique m'a présenté un de ses copains, FRANCIS, qui était un peu plus âgé que nous, avec qui j'ai bien sympathisé.
Il aimait réellement la musique classique.

FRANCIS avait fait la connaissance d'une jeune femme qui était connue déjà comme concertiste débutante. Elle s'appelait MONIQUE DE LA BROCHELLERIE.

Il nous a emmenés chez elle, un peu en dehors de GOURNAY.

Elle était absolument charmante. Elle avait été en exode pendant la guerre et venait depuis peu de retrouver sa maison et son piano.

Je vous en prie, jouez quelque chose pour Alan.

Je veux bien, mais vous savez, depuis le temps que je n'ai pas joué, je n'ai pas encore retrouvé mes doigts.

Elle s'est mise à jouer des sonates de Beethoven. Effectivement, quelquefois elle se gourait et reprenait, mais il était évident qu'elle jouait très très bien.

Quatre ans plus tard, j'étais à PARIS, je vois dans le journal que MONIQUE DE LA BROCHELLERIE donne un concert.

Naturellement, je vais à ce concert. Elle a joué LA SONATE AU CLAIR DE LUNE, comme quatre ans auparavant, mais merveilleusement bien. N'hésitait plus.

L'essentiel du programme était consacré à SCARLATTI, que j'aime énormément et que j'ai tenté de jouer un peu moi-même, depuis.

Après, je suis allé dans sa loge, je me suis présenté et elle a été ravie de me revoir.

Savez-vous ce qu'est devenu FRANCIS ? Il m'a écrit un certain temps et soudain, je n'ai plus eu de nouvelles.

Moi non plus. Pourtant, j'ai essayé, mais il n'y a pas moyen.

C'était un garçon délicat. Je me suis demandé souvent s'il n'était pas tombé malade.

À vrai dire, on n'a pas osé se le dire, mais on pensait que peut-être il était mort au combat. Il l'aimait beaucoup, elle.

Enfin, voilà. J'avais retrouvé MONIQUE DE LA BROCHELLERIE. Je retrouve pratiquement tous les gens que j'aime, et dans les circonstances les plus inattendues.

Il n'y a pas tellement de choses à raconter sur GOURNAY. Ah, si ! J'ai eu une expérience dangereuse, dans la grange.

Comme j'ai dit, on habitait au-dessus des vaches.

C'était très haut. On accédait à la petite porte, ouverte sous le toit, par une échelle métallique accrochée sur une barre.

Tout le monde montait et descendait normalement, face à l'échelle, sauf moi.
Moi, un peu singe, je descendais en attrapant mes talons dans les degrés et en laissant glisser mon dos le long de l'échelle.

COPE ! Pourquoi tu fais ça ? C'est dangereux !

Non. La preuve, c'est que je le fais. Et en plus, je peux porter quelque chose dans les bras.

Un jour, j'allais faire ma lessive. Pour la lessive, je faisais un feu, je chauffais de l'eau et je lavais mes affaires dans mon casque.
Je suis donc sorti par la petite porte, comme toujours, sans regarder, mon linge sale dans une main et mon casque dans l'autre.

Quelqu'un avait enlevé l'échelle.

Je suis tombé dans le vide.

Très rudement. Je me suis fait drôlement mal aux chevilles et je saignais des mains et des bras.

Après guerre, on distribuait des médailles, les "purple hearts", les cœurs pourpres, à tout soldat qui avait eu une blessure. Le sergent m'a demandé :

Cope, tu n'as pas été blessé ?

Non.

Même pas égratigné, coupé, ou quelque chose comme ça ?

Ah si !

Je lui ai raconté l'histoire de l'échelle. Il m'a dit : "Oh ! Mais ça vaut un purple heart !" HAHA ! C'est comme ça que j'ai eu ma médaille.

Avant de raconter le départ de GOURNAY, je pourrais peut-être faire les portraits de MARKER, KULIK et POLSKI. Rapidement.

Beaucoup de gars appelaient MARKER "JOHN" ou bien "MARKER". Bien que je fusse probablement le militaire le plus proche de lui, je l'appelais toujours "sergent MARKER". Par respect, je suppose.
Il savait qu'il pouvait compter sur moi en toute circonstance et je crois qu'il appréciait ma courtoisie. Un type très très chouette.
Il avait peut-être vingt-cinq ans.
Après la guerre, il y a eu une petite correspondance entre nous, et même avec sa sœur, mais le contact a été perdu.

Nous appelions notre conducteur par son nom de famille qui était, j'en suis presque sûr, POLSKI.
Je me souviens que MARKER, quand il fallait l'appeler à haute voix parce qu'il ne venait pas assez vite, criait : "HEY ! POLAC !"
Et POLSKI, en arrivant, disait à chaque fois : "MARKER, je m'appelle POLSKI !"
Il était, évidemment, de parents polonais et savait parler le polonais. C'est lui qui conduisait, dans le civil, des camions transporteurs de dynamite. Il avait vingt-trois ans, à l'époque. Il était petit et maigre mais musclé, avec les yeux bleus et les cheveux blonds, "dish water blond", blond eau de vaisselle, comme on dit. Il était gentil, pas très intelligent. On voyait qu'il avait eu une vie dure. Il était un peu usé.

Kulik, le radio, était un juif new-yorkais
de vingt-deux, vingt-trois ans.
Bonne taille, un peu enrobé, cheveux courts,
noirs et raides, bien rasé mais toujours une
ombre de barbe noire, les mains un peu
potelées et poilues. Très gentil.
Ses parents tenaient un delicatessen à
NEW YORK, une épicerie, quoi, et lui
envoyaient paquet sur paquet sur paquet.
Grâce à eux et à lui, on a bouffé
comme des rois.

Il y avait au-dessus de MARKER un
"Staff sergeant" qui dirigeait trois armored
cars, dont le nôtre. Il s'appelait KUBACEK.
KOU-BA-TCHEK.
Il était grand, pas athlétique mais fort,
cheveux châtains, grands yeux, expression
un peu excédée, déraisonnable.
On ne l'aimait pas trop.

Voilà pour les portraits.

Un jour, enfin, nos véhicules sont arrivés.
Grand branle-bas, parce qu'il fallait les nettoyer.

Tout l'équipement métallique était enveloppé dans une couche dure et épaisse d'un produit assez gras qu'on appelait "cosmoline". C'est très efficace pour protéger les choses pendant leur transport, mais c'est horrible à enlever.

On l'enlève avec de l'essence, du carburant. Ça finit par en venir à bout. Certaines personnes étaient donc de corvée pour "décosmoliner" les armes.

Je ne l'ai fait qu'une fois, Dieu merci, parce que c'est un sale boulot.

La mitrailleuse 50, la grosse mitrailleuse avec des poignées qui devait être montée sur notre armored car a été décosmolinée par un certain KRAUS, un caporal que je n'aimais pas du tout.

Un gars qui profitait de tout le monde.

Il y a eu un incendie, ce jour-là, dans la petite maison en dur, auprès de notre grange. KRAUS était de permanence. Ça a bien brûlé. Il a donné une explication, je ne sais plus laquelle.
C'était un menteur, de toute façon.

103

Enfin, voilà, on est parti. La parenthèse de deux mois était finie.
On avait eu une vie incroyable, comme ça, à ne rien faire.

Mais tout le monde était quand même assez content que ça cesse.

Et alors, le voyage qui a commencé était quelque chose de vraiment extraordinaire.

16

On était peut-être le huit avril. Ou le quinze.
Tout était gris et sale, il faisait un froid de canard,
mais c'était quand même le printemps.

Nous roulions toujours dans la campagne
et jamais sur de grandes routes.
J'étais enchanté de voir le paysage du haut de ma tourelle.

Ça me faisait l'effet d'un livre d'histoire pour les enfants.
Nous avons un mot en anglais qui est "quaint".
Ça veut dire pittoresque, original, étrange.

Tout était "quaint" pour l'Américain que j'étais.

Je découvrais les petits villages européens,
on n'a pas de villages comme ça chez nous, c'est charmant,
les routes bordées d'arbres, les champs, les fermes,
ce qu'on voyait par les fenêtres,
tout était différent et ça me fascinait, vous comprenez ?

Je ne me figurais vraiment pas que ma guerre allait être comme ça.
Il y a des gens qui paient des fortunes pour voir un pays étranger,
moi je le voyais du haut de ma tour et, même si c'était la guerre,
c'était chaque jour un vrai voyage.

Sur les pommiers qui bordaient les routes, il restait parfois quelques pommes de l'automne précédent et mon plaisir était d'en attraper une en passant sous les branches.

Les combats avaient laissé leurs traces. Tout était dérangé, beaucoup de choses cassées. Les villages étaient tristes, dans l'ensemble, mais on voyait qu'ils pourraient être jolis s'ils arrivaient à se remettre de la guerre.

POLSKI, étant donné son métier dans la vie civile, était une espèce de "daredevil", de casse-cou, qui n'avait pas peur de la route. Il a inventé un jeu.

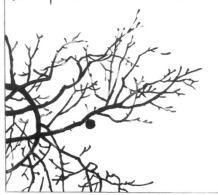

Il a laissé traîner notre véhicule en arrière de la colonne, qui était très courte parce que nous nous déplacions par peloton avec beaucoup d'espace entre les différents pelotons pour ne pas se faire tous ratiboiser d'un coup en cas d'attaque.

Notre peloton comportait trois armored cars et nous étions en deuxième position, ce qui a obligé le troisième à ralentir aussi. Ça faisait rager son conducteur.

Polski a pris beaucoup de retard avant un village, puis il a appuyé subitement sur le champignon.

Ces armored cars pouvaient faire du 80 miles à l'heure. Disons qu'il montait à peu près jusqu'à 110 kilomètres/heure. C'est gros, un armored car !

On est entré dans le village à toute vitesse.

C'était un de ces vieux villages sans trottoirs où on n'avait pas encore rendu les rues droites. Il y avait des virages.

Son jeu était de raser les murs d'un côté puis de l'autre, en les cognant suffisamment pour enlever un peu de crépi.

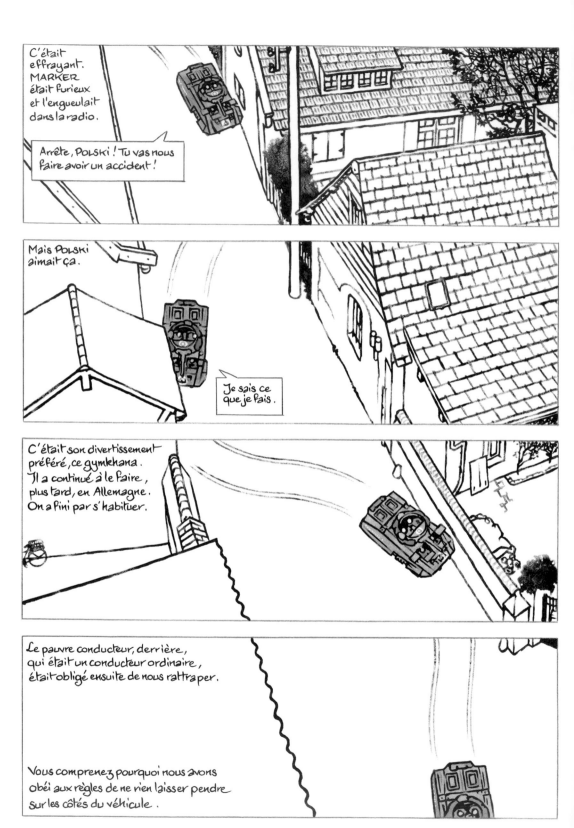

C'était effrayant. MARKER était furieux et l'engueulait dans la radio.

Arrête, POLSKI ! Tu vas nous faire avoir un accident !

Mais POLSKI aimait ça.

Je sais ce que je fais.

C'était son divertissement préféré, ce gymkhana. Il a continué à le faire, plus tard, en Allemagne. On a fini par s'habituer.

Le pauvre conducteur, derrière, qui était un conducteur ordinaire, était obligé ensuite de nous rattraper.

Vous comprenez pourquoi nous avons obéi aux règles de ne rien laisser pendre sur les côtés du véhicule.

Le premier soir du voyage, comme la plupart des autres soirs par la suite, nous avons bivouaqué.
Je voudrais dire une chose au sujet du bivouac.
L'équivalent de Saint-Cyr, aux États-Unis, c'est West Point.
Et au siècle dernier, paraît-il, une partie des cours donnés aux futurs officiers
était en français.
Le vocabulaire militaire anglo-saxon, d'ailleurs,
est presque entièrement français ou latin.
Les grades, par exemple, le général, le capitaine, le lieutenant, le sergent,
ça se dit comme en français.
Les jeunes soldats que nous étions, dans un pays où il n'y avait pas de service militaire,
pas de conscription depuis la première guerre mondiale,
n'avaient aucune idée de ce vocabulaire.
La première fois que j'ai entendu : "on va bivouaquer ce soir,"
c'était pendant la préparation militaire.
Je me suis dit : "Mon Dieu, qu'est-ce qu'on va faire ?"
Le matin, on sonnait le réveil.
Ça s'écrit "reveille" et ça se prononce "revelly".
Tout le monde ou presque savait ce que c'était à cause du scoutisme.
Mais nous ne savions pas que "revelly" voulait dire "réveil" en français.
Pareil, j'ai découvert le sens du mot "latrines", qui vient du latin,
quand je suis devenu soldat.
Dans la vie civile, nous ne disions jamais "latrines" pour des toilettes, n'est-ce pas ?
Tout un tas de choses comme ça.

Bref, nous avons bivouaqué la première nuit dans un coin de France, je n'ai aucune idée où. Il n'y avait certainement aucun danger de voir paraître un Allemand, mais il fallait quand même que quelqu'un soit de garde.

COPE, tu vas être de garde. C'est pour la forme, on est obligé de le faire et c'est complètement con.

Bon.

Alors, tu vas te mettre là-bas, au bord de ce fossé et si tu veux, un peu plus tard, quand tout le monde sera couché, tu n'as qu'à te coucher, toi aussi, dans le fossé.

Je préfère que tu dormes plutôt que de suivre cette règle qui est parfaitement stupide.

Il y avait d'ailleurs plein d'autres unités autour de nous.

Le fossé était long et assez profond. Il avait été creusé, sans doute récemment, par les fermiers du coin, pour évacuer les pluies du printemps. Ils l'avaient rempli de pierres pour que l'eau n'use pas les parois.

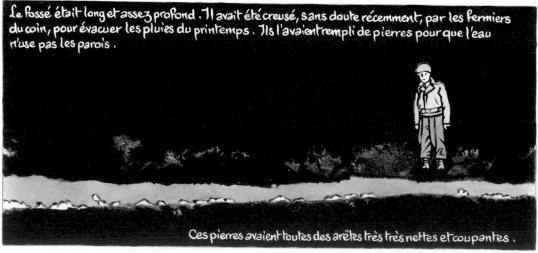

Ces pierres avaient toutes des arêtes très très nettes et coupantes.

Eh bien, figurez-vous que j'ai passé une excellente nuit. D'abord, j'étais très fatigué. Et puis, j'ai appris qu'en faisant attention, on peut s'arranger pour épouser ces différentes formes et j'ai dormi comme un loir. A ma grande surprise.

Très vite, nous sommes entrés dans une zone d'activité et de circulation intenses.

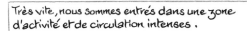

Des unités allaient à droite, à gauche, on croisait des soldats qui revenaient du front, on voyait bien que c'était des combattants, quoi.
Les routes étaient très encombrées mais on avançait quand même.

La nuit suivante, on a réquisitionné une petite ferme pour dormir dedans. Le fermier français logeait dans un autre bâtiment. On s'apprêtait à dormir par terre, avec nos sacs de couchage, dans ce qu'on pourrait appeler une salle à manger où il y avait une cheminée.

On a demandé au fermier de nous donner du bois.

Pas de bois.

On était déçu parce que, vraiment, on avait roulé toute la journée, il avait plu et on avait froid.

Alors un de nos gars lui a montré la clôture de son jardin, avec des poteaux en bois reliés par du fil de fer.

Il ne comprenait pas l'anglais, mais il a compris ce que voulait dire le soldat.

Non. Pas ma clôture.

Il y avait dans un coin de la pièce une table en bois avec deux chaises. Le soldat est allé à la table et a commencé à casser un pied.

Quand le fermier a vu ça, il a couru dehors et il a arraché lui-même les poteaux de sa clôture. On avait de quoi couper les fils de fer et nous avons fait un feu.

Ce n'était sûrement pas très gentil mais c'était comme ça. Je n'ai pas fait partie de l'opération mais je dois dire que je me suis chauffé devant le feu.

On approchait du Rhin et une chose nous inquiétait, c'est qu'on n'avait pas de rail autour de notre tourelle. On ne pouvait donc pas monter la mitrailleuse, qui est la seule arme vraiment efficace de ce véhicule.

MARKER était très préoccupé.

Tu te rends compte que ces cons vont nous envoyer au combat avec rien d'autre que nos carabines et ce canon inutile ?

La nuit d'après, les sous-offs de notre unité se sont réunis.

Bon, les gars, il va falloir trouver un rail pour le peloton de KUBACEK. On va faire un peu de MIDNIGHT REQUISITIONING.

Le "MIDNIGHT REQUISITIONING," comme son nom l'indique, c'est quand on sort à minuit et qu'on réquisitionne ce qu'on veut.

Autrement dit, on le vole.

Alors, ils sont revenus avec un rail, en disant qu'ils l'avaient pris sur un véhicule qui n'allait pas au front.

Ils ont monté le rail sur la tourelle, puis la mitrailleuse sur le rail et on s'est tous senti mieux.

Le lendemain, après avoir encore roulé, roulé, on est arrivé sur le Rhin.

17

De l'autre côté, l'Allemagne.

Il fallait traverser un pont flottant qui avait l'air bien étroit.

En effet, pour un véhicule blindé comme le nôtre, la largeur était juste, juste, juste.

Enfin, on a traversé sans problème.

Je pense que nous devions être, probablement, à la hauteur du Bade-Wurtemberg. Je dois dire qu'à l'époque je n'y connaissais rien en géographie. J'étais un gros ignorant.

Entre le Rhin et, écoutez bien, PILSEN en Tchécoslovaquie, ON N'A PAS TRAVERSÉ UNE SEULE GRANDE VILLE.
Donc, on n'était vraiment pas sur les voies principales.
J'appréciais beaucoup le paysage. On essayait de voir les noms des villages, si toutefois c'était
marqué. Tout se terminait plus ou moins par HAUSEN, quelque chose comme ça.

Au cours d'un des premiers bivouacs allemands, il m'est arrivé une chose affreuse. Vous savez que, dans un bivouac militaire, on creuse une tranchée pour faire caca dedans et puis après, en partant, on la remplit de terre.

J'étais de corvée pour faire ça, je l'ai fait et je m'en suis servi.

Pendant que j'étais accroupi, j'ai été piqué par un moustique sur la verge.

La peau a gonflé, enflé terriblement, ça faisait mal et c'est devenu énorme. Je n'avais rien à faire d'autre que d'attendre que ça se passe.

Ça a pris deux jours. J'avais un mal de diable à marcher parce que ça coinçait carrément entre mes jambes.

On ferait peut-être mieux de ne pas dessiner ça.

Je dois raconter la seule fois de la guerre où je me suis servi de mon canon.
A un moment, on était en pleine campagne et on s'est mis à entendre des tirs.

On ne savait pas si ça tirait sur nous. Il y avait quelques coups de feu proches mais le plus gros était lointain.

On voyait une ferme où des gens couraient à droite à gauche avec un air de préparer quelque chose, mais ils ne tiraient pas.
On ne leur a donc pas tiré dessus.

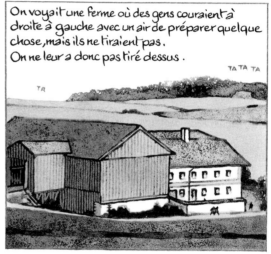

Plus loin, au milieu d'un champ, il y avait une minuscule maison.
Sergent MARKER a dit :

COPE, elle est dangereuse, cette baraque. C'est un endroit parfait pour cacher un armement quelconque. On ne devrait pas la laisser là.

Qu'est-ce qu'on fait ?

117

Tu vas tirer au canon. On va carrément s'arrêter, c'est plus facile que de tirer en roulant.

Alors on a vite fait la manœuvre, il a donné les instructions, j'ai visé et...

BOUM.
Je l'ai eue.

Ça s'est plus ou moins écroulé. Je ne sais pas ce qu'il y avait dedans. Personne, en tout cas. Les gens étaient dans la ferme.

TA

On était content de savoir que le canon fonctionnait et que je tirais toujours juste. C'est sans doute ce que MARKER voulait vérifier, d'ailleurs.

118

Plus tard, on a vraiment essuyé des coups de feu d'une ferme en hauteur.

Bon, ben on va encore tirer.

Cette fois, ce n'était pas pour le canon, c'était pour la mitrailleuse.

J'ai tiré. Il y avait des balles traçantes, vous savez ce que c'est ? Une balle sur cinq ou dix laisse une petite traînée de lumière, comme ça on voit la trajectoire du tir.
Sinon, on n'a aucune idée d'où vont les balles d'une mitrailleuse.

Je tirais dans la cour de la ferme et, là-haut, ça tirait aussi, mais on ne recevait plus de balles.

Subitement, ma mitrailleuse s'est coincée.

Qu'est-ce qui se passe, COPE ?

Mais je n'en sais rien !

C'était incroyable : je la démontais et la remontais régulièrement pour la nettoyer et la huiler, je m'en occupais très bien.

Alors on s'est mis à l'abri, on a démonté, regardé et le bloc était cassé en deux.
Le bloc, c'est la partie qui va et vient, qui attrape les balles et les expulse.

Cassé en deux !
On n'avait jamais entendu parler d'une chose pareille !

La mitrailleuse était totalement hors d'usage.
MARKER était furieux. On a repris la route.
Heureusement, je n'ai pas eu besoin de tirer les jours suivants,
car on n'a récupéré un autre bloc que beaucoup plus tard.
A vrai dire, quand on n'en avait plus besoin.

MARKER soupçonnait quelque chose.
Peu de temps après, il a attrapé KRAUS,
le caporal qui avait décosmoliné notre arme.

KRAUS a fini par lui avouer ce qui s'était passé.
Vous vous souvenez qu'il était de permanence
le jour où le petit P.C. des sergents avait brûlé,
en Normandie.

Comme il n'y avait rien à faire ce jour-là,
aucun message à recevoir, rien, juste rester
tranquillement au chaud, on lui avait fait
nettoyer les armes.

Et KRAUS avait décosmoliné notre bloc de
mitrailleuse dans un bidon d'essence qu'il avait
mis tout près de la cheminée pour avoir chaud.
Trop près.

La maison a donc flambé et le pauvre bloc est resté Dieu sait combien de temps dans le bidon en flammes.

KRAUS n'a rien dit quand on l'a récupéré. Le feu avait fait cristalliser l'acier, qui s'était fracturé au premier usage.

Je pourrais te faire passer en cour martiale pour ça.

Mais enfin on ne s'en est pas mal tiré et je ne te dénonce pas ce coup-ci. Seulement méfie-toi, parce que j'aurai l'œil sur toi.

KRAUS avait un côté doux et gentil, mais c'était tout hypocrisie. Vous n'avez jamais eu affaire à quelqu'un comme ça ?

Dans l'armée, on rencontre toutes sortes de gens.

Un peu plus tard, nous sommes arrivés dans un village que, d'après ma connaissance ultérieure de l'Allemagne, je situerais volontiers au nord de la Souabe.

Les habitants étaient dans les rues. Ils nous hélaient avec l'air de dire : "Formidable !"
Ils étaient sans doute plus contents de penser que la guerre allait finir que de voir les Américains.

Au coin d'une petite rue, devant une maison, sous de jolis arbres, il y avait une famille qui proposait deux caisses de vin blanc aux véhicules qui passaient.

Les soldats qui nous précédaient se méfiaient et ne les prenaient pas.

On les prend ?

Oui.

Et si c'est empoisonné ?

On trouvera un moyen de le savoir. Mais ça m'étonnerait.

On a pris le tout. On n'avait jamais reçu de munitions pour le canon. A peine quelques cartouches, cinq ou six. Donc, on a mis les bouteilles de vin dans les compartiments à munitions qui étaient vides. Ça rentrait juste.

C'est comme ça qu'on a eu ce stock de vin, genre BADEN, qui était délicieux. J'ai pu continuer mon apprentissage du vin commencé en Normandie.

En Californie, j'en avais bu un verre ou deux, c'est tout. Et il n'était pas bon, à l'époque.

Il serait peut-être temps de parler de notre mangeaille.
D'abord, on avait nos rations. Les rations "K".
C'était dans une petite boîte qui ressemble,
du point de vue morphologique, à un étui
de cassette vidéo, mais qui serait à peu près le double
en volume. Chacune contient un repas.
On en avait tout un tas, ça traînait partout.
C'était enveloppé d'un papier très épais et étanche.
Ça pouvait rester dans l'eau des jours et des jours,
l'intérieur n'était jamais mouillé.

Dedans, c'était très astucieusement arrangé.
Il y avait du pâté en boîte, moins bon que les pâtés
français, mais enfin de la viande, quoi,
des biscuits genre biscuits de marin qui
remplaçaient le pain, pas très bons mais
nourrissants, un dessert, une sorte de pudding
et toujours une petite barre de chocolat.

Et puis une dose de café en poudre avec un peu
de sucre, qu'on pouvait se faire froid ou chaud
si on avait de l'eau, et un sachet de poudre
de jus de fruit, qui avait en principe un goût
de raisin noir et qu'on appelait le "bug juice",
jus d'insecte. Je n'ai jamais mangé
d'insecte mais je suppose qu'en effet
ça doit avoir ce goût-là.

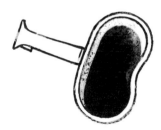

Ajoutez à cela des paquets de trois cigarettes,
pas des cigarettes de grande marque mais
tout de même très bien venues, correctement
enveloppées avec des allumettes.

On avait pensé à mettre le plus possible
dans un petit volume.

Je n'ai jamais tourné le dos aux rations de campagne. Beaucoup de soldats ne les aimaient pas, moi je les ai toujours mangées avec plaisir. J'avais bon appétit.

Mais évidemment, tout cela n'avait rien à voir avec les colis de KULIK. J'ai dit que ses parents avaient un delicatessen à New York. Je ne sais pas si tous leurs colis sont arrivés, mais en tout cas, on en recevait beaucoup et c'était plein de choses absolument délicieuses.

D'abord, il y avait pas mal de spécialités juives, c'est très bon, et puis des saucisses longue durée, des pâtés très très fins, tout ça en grande quantité, au point qu'on ne savait pratiquement pas où les ranger. On accrochait ça à l'extérieur du véhicule, dissimulé dans des toiles. On n'avait pas le droit, en théorie, d'accrocher des choses, mais tout le monde le faisait plus ou moins.

POLSKI, ça va de soi, renonçait à son slalom dans les villages.

On s'arrêtait pour manger, c'était souvent le long de la route, les véhicules assez espacés. On mangeait entre nous, un peu planqués et on se régalait, avec en plus le vin délicieux, qu'on rationnait pour le faire durer. Un verre par repas.

On aurait préféré être plus généreux avec les autres véhicules, mais on se disait : 'le jour viendra où on n'aura peut-être plus rien à manger. Tant qu'on peut trouver un endroit pour les attacher, on les attache et on se les garde.''

Pendant ce temps-là, moi, je n'ai pour ainsi dire rien reçu.
Oh, ça m'était égal.
Et puis, après tout, ce que je vous raconte s'est passé en peu de mois. Vers la toute fin des hostilités, d'ailleurs, il est possible que les services postaux n'aient même pas su où nous étions, car notre mission militaire était tout à fait abracadabrante.
J'expliquerai ça.

18

Nous avions de l'essence en surabondance. Il était défendu de laver ses vêtements à l'essence, ce qui est une bonne règle, mais nous le faisions quand même.

Pour que les treillis ne sentent pas trop l'essence, on les accrochait derrière. Dans le vent, ça séchait vite et l'odeur s'en allait.

On était donc toujours propre et content de l'être. Évidemment, on faisait beaucoup de choses qu'on ne devait pas faire, mais je crois qu'on était quand même de bons soldats.

On roulait beaucoup. Il arrivait qu'on ne dorme qu'une nuit sur deux ou trois. La fatigue et le manque de sommeil nous affectaient de plus en plus. Et puis la tension et quelquefois la peur. On avait déjà vu des morts, des choses comme ça.

Un soir, à la tombée de la nuit, je ne saurais toujours pas dire où, nous nous sommes arrêtés dans une sorte de quartier résidentiel, où il y avait des maisons pas mal du tout.

Ces maisons étaient réquisitionnées et les gens, surtout des femmes et des enfants bien sûr, en sortaient en portant des oreillers, des couvertures, des édredons, quelques vêtements.

Ils allaient passer la nuit un peu plus haut chez des voisins ou des amis, en nous laissant leurs maisons vides.

Comme on réquisitionnait peu de maisons, il fallait s'entasser à plusieurs dans les chambres. Ça nous permettait de passer quelques heures de sommeil. En principe, on se levait à l'aube.

Je me souviens que dans cette maison où nous sommes entrés, il y avait les équipages d'un autre armored car et de deux jeeps. On était donc nombreux.

La cave avait été aménagée en pièces d'habitation. Il y avait deux pièces et dans chaque pièce, un grand lit. KUBACEK a dit :

Vous trois, mettez-vous là.

127

Il y avait STANLEY, un type qui s'appelait LOUIS et moi.

Louis faisait partie d'une des quatre jeeps de l'escadron. C'était un peu un sale gars mais je l'aimais bien.
Je faisais équipe avec lui pour les patrouilles.
Il était très rude, très grand, très fort, très inculte, un peu fou.

On avait mangé, fumé une cigarette et on ne pensait qu'à dormir. Mais Louis, lui, avait trouvé à boire. Quand nous nous sommes couchés, il était complètement ivre.

J'étais au milieu et STANLEY contre le mur. Une fois qu'on était bien installé et presque endormi, Louis a commencé à avoir des propos que je comprenais fort bien.

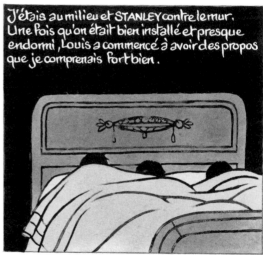

Il s'est mis à m'empoigner et à accomplir les gestes qu'on accomplit lorsqu'on veut faire l'amour avec quelqu'un.

J'étais furieux, je l'ai repoussé, je l'ai engueulé, mais lui, il disait :

Mais si, viens donc ! Tu es mignon !

Ça a mis STANLEY hors de lui et au lieu de le repousser comme moi, il l'a carrément rudoyé. Alors Louis a laissé aller et puis s'est endormi tout de suite.

Le lendemain, il n'avait pas l'air gêné du tout. Je ne lui ai rien dit à ce sujet et j'ai l'impression qu'il ne s'en souvenait pas. Son attitude, par la suite, a été exactement comme avant.

Notre parcours commençait vraiment à être très curieux. Il me semblait qu'on était bien au-delà d'où on aurait dû être. Les officiers avaient l'ordre de continuer mais n'avaient plus de cartes. On roulait toujours.

Il y a eu beaucoup d'accidents, surtout la nuit. Enormément de routes et de ponts étaient détruits et, pendant la guerre, on n'allume pas ses phares. Des gars sont morts parce que soudain, dans le noir, ils arrivaient au bout d'une route et PLOUF, ils tombaient.

On a eu une histoire, comme ça, sur une toute petite route de campagne, sans doute en Bavière. C'était une nuit sans lune. Nous roulions en "blackened lights", avec un capuchon sur les phares fendu au milieu, qui ne permettait pas de voir quoi que ce soit, mais d'être vu par les autres véhicules, à quelques mètres de distance.

On avait roulé deux jours et deux nuits sans arrêt. POLSKI n'en pouvait plus.

Mes yeux se ferment, je ne peux plus conduire. Qu'est-ce qu'on fait ?

MARKER m'a dit :

COPE, prends sa place.

KULIK avait peur de conduire l'armored car. Il le conduisait très mal.

Je n'étais pas habitué à conduire, surtout dans ces conditions, mais je me suis débrouillé. La route était pleine de virages. Je suivais la jeep de devant.

Subitement, la jeep n'était plus là.

Je me suis dit : il ne faut pas que tu croies que tu vois mal. ARRÊTE-TOI.

J'ai dit dans le micro :

Je m'arrête parce que la jeep a disparu.

Comment ça, la jeep a disparu ?

Dans un mauvais virage, la route était défoncée. Au lieu de prendre le virage, la jeep était allée droit dans l'énorme fossé.

Elle était plantée sur le nez. Ses occupants n'avaient rien, mais ils remontaient la pente, morts de trouille, parce qu'ils avaient peur qu'on les suive et qu'on les écrase.

Ce serait arrivé si je n'avais pas eu l'intelligence de m'arrêter.

Il y a un treuil sur les armored cars. On les a sortis au treuil. La jeep n'avait rien. On est reparti.

Toute la journée du lendemain, on a continué. Ça devenait incroyable. On se disait : mais où est-ce qu'on va ? Pourquoi on est si pressé ?

A la nuit, on est arrivé dans un endroit où on nous a fait descendre des véhicules. Pas pour dormir !

On part en patrouille.

On nous a expliqué notre plan de patrouille et les équipes se sont formées. J'étais de nouveau avec Louis. Nos véhicules sont restés sous bonne garde et nous, on est parti.

Louis était devant. Il portait la petite mitrailleuse et moi le trépied. Comme on passe la moitié du temps à plat ventre, un homme seul ne peut pas porter les deux.

Il pouvait se servir de la mitrailleuse sans support d'urgence, mais c'est quand même assez lourd. Si on avait le temps, j'établissais le trépied et on la posait dessus.

Notre file indienne était longue. Une vingtaine de gars au moins. On avançait un peu, on se couchait. On avançait un peu, on se couchait. Le chef de file donnait des indications.

Louis avait tellement sommeil que chaque fois qu'il se couchait sur le ventre, il s'endormait immédiatement. Je l'entendais même ronfler.

Quand il fallait repartir, je lui donnais des grands coups de trépied sur ses pieds pour le réveiller.

Alors là, j'ai eu une hallucination. La première et dernière de ma vie.

A ma droite, il y avait une colline haute et en longueur, comme il y en a dans les pays vallonnés. Je regardais cette colline.

Des bombes, peut-être des tirs de mortiers allemands, tombaient au loin et illuminaient le ciel par intervalles. Ça ne venait pas jusqu'à nous.

Subitement, une énorme ville avec des grands bâtiments pleins de fenêtres illuminées s'est construite sur cette colline.

Il faut avoir eu cette expérience pour le croire .

Je savais que je voyais quelque chose qui n'était pas là.
J'ai vraiment vu toutes les lumières comme sur des bâtiments
de hauteurs différentes.
C'était merveilleux.

Et puis il a fallu avancer de nouveau.
Je me suis forcé à ne plus voir la ville et elle est partie.

On [...] inspecté un vieux hameau, un tas de maisons où il était censé y avoir des Allemands cachés.

C'était assez "spooky", assez fantomatique. On entrait dans ces maisons qu'on ne connaissait pas. Il fallait les visiter sans aucune lumière. Il n'y avait personne. Juste des cigarettes écrasées et des bouteilles vides.

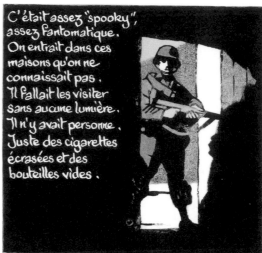

On [...] redescendu par un petit bois et, à l'orée d'une clairière, on a vu passer une patrouille allemande.

On était un groupe de quatre, dont MARKER. Il m'a dit :

Je ne vois pas pourquoi on ferait la moindre chose.

Moi non plus.

Il faut attendre le jour. On va creuser une tranchée.

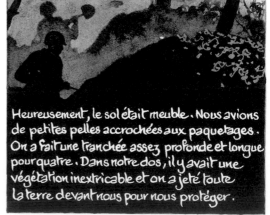

Heureusement, le sol était meuble. Nous avions de petites pelles accrochées aux paquetages. On a fait une tranchée assez profonde et longue pour quatre. Dans notre dos, il y avait une végétation inextricable et on a jeté toute la terre devant nous pour nous protéger.

Vous pensez bien qu'on s'est interdit de fumer, d'utiliser nos lampes et qu'on parlait en chuchotant. D'ailleurs, on ne s'est pratiquement pas adressé la parole. On était décidé à faire le moins de bruit possible et à attendre.

On a attendu l'aube et ça nous a paru interminable. On faisait ce qu'on pouvait pour percer le noir avec notre vue, pour voir ce qu'il y avait de l'autre côté de la clairière.

Plusieurs fois, MARKER m'a dit :

Tu ne vois pas quelqu'un bouger, là-bas ?

Peut-être bien.

Je pense que c'était notre imagination.

Enfin, le jour s'est levé. Il n'y avait personne.

On est retourné là où on avait laissé les véhicules. Tout le monde a raconté ce qu'il avait fait, ce qu'il avait vu. Et puis on a repris la route, complètement exténués.

19

Finalement, nous sommes arrivés à un petit patelin de rien du tout où il y avait un hôtel. L'ordre a été de s'arrêter, d'aller dans l'hôtel, de choisir une chambre et de dormir.

On a mangé des rations, on est allé s'écraser sur les lits et je vous prie de croire qu'on a dormi.

Vers quatre heures du matin, une estafette est passée de chambre en chambre pour dire :

Debout! Tout le monde dehors ! À vos véhicules !

Il a oublié d'ouvrir notre porte.

Quand tout le monde était prêt, en bas, KUBACEK a constaté que notre armored car était vide.

Où sont MARKER et ses gars ?

Ils sont remontés nous chercher. Pour une fois qu'on s'était payé le luxe de se mettre en short, on a dû partir en traînant nos affaires, nos vêtements et on s'est habillé en roulant.

On filait toujours vers l'est et là, vraiment, nous n'avions plus du tout, du tout de carte.

Dans un petit village où on roulait doucement, l'armored car qui était devant nous a fait un bond en l'air. Il était passé sur une mine.

PA

Il n'a pas été abimé, mais il a sauté si durement que le conducteur s'est cogné la tête et a été sonné pendant plusieurs jours. Maux de tête, vertiges...

Ça nous a mis en colère et on a décidé qu'en représailles, on pillerait. Avec les copains, on s'est dit : "on n'a jamais pillé, tout le monde pille, il faut qu'on pille."

Je suis entré dans une maison et j'ai pris une montre dans le tiroir d'un buffet. Les autres ont pris aussi des montres, des bagues, des choses comme ça.

Quelques mois plus tard, quand je faisais partie des forces d'occupation dans le sud de l'Allemagne, j'ai été tiré au sort pour pouvoir acheter une montre.

J'étais ami avec un petit militaire qui s'appelait KINNEY et qui voulait être pasteur. Il n'avait pas de montre. J'en ai acheté une et je lui ai fait cadeau de la montre pillée. Il était ravi.

Deux jours après, je lui ai expliqué comment je l'avais eue. Il ne voulait plus la porter. J'ai dû le convaincre.

Pourquoi pas, allons ? Porte cette montre. Tu es mon ami, porte cette montre.

Alors, il l'a portée. Encore une petite histoire.

Evidemment, ça a été mon seul acte de pillage pendant la guerre. Nous étions tous de gentils garçons, pas très expérimentés. On s'est un peu forcé à aller dans les maisons et à piller. Certains trouvaient ça amusant, d'autres pas. Cependant, on rencontrait de temps en temps des soldats d'autres unités qui avaient fait plus de guerre et qui nous parlaient souvent de pillage. C'était une chose qui se faisait beaucoup. En principe, de petits vols chez les gens pour avoir un ceci ou un cela qu'on voulait.

Le même jour, STANLEY, un ami que j'ai déjà mentionné et qui était "rifleman", fusilier dans une jeep, a été envoyé en mission de reconnaissance. Sa jeep est partie avec deux ou trois autres. Ça pouvait être dangereux.

Ils nous ont rejoints le soir et il m'a dit :

On a vu une chose horrible.

Nous sommes arrivés par la route au bord d'une sorte de carrière de pierre et il y avait dedans une patrouille de soldats allemands. Ils étaient tous adossés contre les parois, debouts, bouches ouvertes, morts.

C'était vraiment horrible qu'ils soient morts mais pas couchés. Ça devait être des gens d'un certain grade, parce qu'ils avaient tous à la ceinture des jolis pistolets, des Lüger.

Tiens, j'en ai pris un pour toi, Alan. Avec étui.

Je me suis dit : " ben voilà. J'ai un souvenir." J'étais content de l'avoir.

Un an plus tard, quand je suis rentré aux États-Unis en tant que civil, la douane a voulu me le prendre quand je suis descendu du paquebot à NEW YORK.

La même chose est arrivée à pas mal de gens qui étaient avec moi. Tout le monde était tellement déçu que, pour ne pas les donner à la douane, on a jeté nos armes dans le port.

Le pays autour de nous est devenu très différent.
En fait, toujours sans le savoir, on quittait
l'Allemagne et on entrait en Tchécoslovaquie.

Subitement, on s'est mis à entendre
énormément de bruit devant nous.
Des chars tiraient. De part et d'autre
de la route, on a commencé à voir
des maisons en flammes.

C'était la ville de PILSEN.
Nos chars étaient en train de la prendre aux Allemands.

On a arrêté les trois armored cars et
les jeeps sur une place. Des foules de
Tchèques nous criaient "SLAVA! SLAVA!"
Ça veut dire tout ce que vous voulez,
bon jour, au revoir, bravo, enfin c'est
bon, quoi.

Et là, KUBACEK, notre staff sergent, monte sur
son armored car, écarte les bras, fait taire
plus ou moins la foule et il se lance dans un
grand speech en tchécoslovaque.

Il avait un nom d'Europe centrale ou de l'Est, mais en Amérique, il y a tellement de nationalités différentes que nous, jeunes Américains ignorants, on ne s'était jamais demandé de quelle origine il était. On était abasourdi.

La foule lui répondait, c'était un moment extra-ordinairement inattendu. On rigolait, tous, on se disait: "C'est pas possible, KUBACEK est en train de leur faire un speech dans leur langue!"

Et puis des francs-tireurs nous ont tiré dessus.

La foule s'est dispersée et nous, nous avons reçu l'ordre d'entrer dans les bâtiments, de grimper les étages pour chercher les francs-tireurs.

J'ai fait comme tout le monde. J'en ai entendu d'assez près, mais je n'en ai pas vu. Ils n'étaient que quelques uns et ils ont été éliminés rapidement.

En fait, tous les Allemands à PILSEN se sont vite rendus.

C'est peut-être le moment, maintenant, de décrire notre mission spéciale et de raconter pourquoi nous étions là.

C'était le général PATTON qui avait décidé qu'on irait à PILSEN.
Il voulait même qu'on aille bien au-delà.
L'idée était de gagner un maximum de terrain sur les Russes.
Voilà pourquoi on avançait si vite et sans trêve depuis des jours et des jours.
EISENHOWER lui-même ne devait pas savoir que nous irions si loin à l'est,
parce qu'il n'était pas d'accord. On était vraiment en fer de lance et, somme toute,
peu nombreux. Le gros des troupes était à deux heures derrière.
C'est beaucoup, deux heures.
La compagnie de chars qui nous précédait et qui a pris la ville était très réduite.
Les officiers allemands, quand ils l'ont su, ont dit à nos officiers :
"Si on avait su que vous n'étiez qu'une petite compagnie et un escadron de reconnaissance,
on se serait mieux défendu et on vous aurait annihilés."
Mais nos chars, suivant les ordres de PATTON, sont entrés en faisant tellement de bruit
que les Allemands ont cru à toute une armée.
La ruse a marché.

Je crois me souvenir que cette nuit-là, nous avons dormi dans nos véhicules, dans la rue.

Le lendemain matin, j'ai été promu caporal. C'était très bien, ça voulait dire : un peu plus de solde. J'ai cousu mes chevrons.

Plus tard, on a reçu l'ordre de s'habiller avec nos meilleurs vêtements, de se présenter bien rasés, chaussures cirées, véhicules propres, parce qu'on partait en mission et qu'il fallait être beau.

Notre escadron, les trois armored cars et les quatre jeeps, est allé dans un petit aéroport entouré de bois, juste en dehors de PILSEN.

Allez dans les bois et coupez de grandes branches qui peuvent servir de mâts de drapeaux pour vos véhicules. Ensuite, fixez-les.

On l'a fait. La nôtre était carrément attachée dans la tourelle.

Ensuite, on nous a distribué de superbes parachutes en nylon blanc, tout neufs.

Coupez dedans, pour chaque véhicule, un grand drapeau blanc et fixez-le fermement au mât.

Coupez aussi, pour chaque homme, un très grand carré, pliez-le diagonalement et mettez-le autour du cou comme une grande écharpe qui pende bien dans le dos.

On s'est dit: "Qu'est-ce que c'est que cette histoire?"

Plus tard, on nous a informés que la mission commencerait en retard et qu'il fallait manger nos rations.
Pendant qu'on mangeait, un officier nous a expliqué le topo.

On attend, venant de Londres, un important général allemand. Quand il sera là, on partira pour Prague.

Une voiture d'état-major était d'ailleurs arrivée, genre petite BMW, mais peinte en kaki, très jolie voiture.

Le général allemand qui tient la place de Prague résiste toujours, alors que c'est parfaitement inutile, la guerre est pratiquement finie. Celui qui vient de Londres va essayer de le persuader de se rendre.

On attend. Le jour baisse et on commence à croire que ce général ne va pas venir. Mais enfin quand même, à la tombée de la nuit, son avion s'est posé.

De loin, j'ai aperçu une ombre avec ces longs manteaux comme les officiers en avaient. Il est monté dans la petite BMW.

Le convoi s'est mis en route. Comme il fallait aller assez vite, nous n'avons pas mis les lumières de couvre-feu. On nous a dit : "Pleins phares, tant pis. On ne sera probablement pas attaqué."

20

On est arrivé à PRAGUE à minuit.

À l'entrée de la ville, il y avait des barricades. Les Praguois s'étaient soulevés.

On leur a demandé de démonter leurs barricades pour nous laisser passer et ils l'ont fait. C'était essentiellement des pavés qu'ils avaient arrachés des rues.

On a roulé vers le centre. Il n'y avait aucune lumière électrique. Des feux de bois, à des intervalles assez rapprochés, remplaçaient les lampadaires sur les principales avenues.

J'ai vu la silhouette d'une cathédrale.

Nos officiers et l'officier allemand sont allés dans le quartier général allemand de PRAGUE. Là, on leur a dit que le chef de la place était parti et s'était installé dans une caserne à la sortie de la ville, direction est.

De nouveaux ordres, très stricts, ont été donnés : nous ne devions avoir aucune balle dans les chambres des armes, il ne fallait pas riposter si on nous tirait dessus, à moins qu'un officier ne l'ordonne. Sinon, cour martiale. On devait simplement essuyer le feu et espérer ne pas être tué.

On a pris une longue avenue, très large, vers l'est.

En sens inverse, venant vers nous, est apparue une colonne de chars allemands.

C'était d'énormes engins qui se déplaçaient très lentement.

Comme c'est l'usage en ville, en dehors des combats, chaque char était précédé d'un soldat à pied pour guider le conducteur.

Je me suis dit : "qu'est-ce qui va se passer ?"

Rien ne s'est passé. On a commencé à croiser la colonne.

Les soldats allemands qui guidaient les chars avaient une expression d'étonnement sur leur visage de nous voir ainsi, nous Américains, avec nos drapeaux blancs et nos écharpes blanches, comme si on se rendait.

La colonne était longue, ils roulaient au pas, nous aussi, c'était terriblement lent.
En arrivant à la hauteur d'un des chars, le petit militaire allemand qui le précédait nous a regardés avec une telle surprise qu'il s'est arrêté, figé sur place, bouche bée, comme un gosse.

J'ai compris que son conducteur ne voyait pas qu'il s'était arrêté et qu'il allait lui rentrer dedans.

Alors, j'ai fait des grands gestes, j'ai essayé d'attirer l'attention de ces gens. MARKER, qui était à ma droite et ne voyait rien à cause de l'angle, m'a empoigné.

Mais qu'est-ce que tu fais, COPE ? Il ne faut pas faire de signes aux Allemands !

149

J'ai crié :

REGARDE !

Le char a rabattu le petit Allemand sous sa chenille.

Le pauvre gars a été écrasé peu à peu, des pieds à la tête. Il a eu le temps de crier et de gesticuler.

Je pense que le conducteur n'a rien su, il a dû penser que le gars avait quitté son poste parce que le char a continué comme si de rien n'était.

Il ne restait absolument plus rien du petit militaire, même son casque était écrasé.

C'était assez horrible à voir, pour le moins dire.

Nous sommes arrivés à la caserne, à l'extérieur de la ville.

Nos officiers sont entrés dedans et sont ressortis en disant que le général était parti encore plus à l'est, dans un village près de la frontière polonaise.

Nous avons repris la route et nous nous sommes arrêtés deux fois dans des mairies de villes où, dans les sous-sols, était secrètement stockée de l'essence.

On a fait le plein et des provisions d'essence, une essence épouvantable qui laissait des grosses traînées de fumée noire derrière les véhicules. Mais enfin, ça les faisait avancer.

Au retour, il a fallu nettoyer à fond les carburateurs.

Quand le jour s'est levé, nous étions assez près de notre destination. Des partisans tchèques nous ont tiré dessus depuis des bois.

PA   PA

Je me mets à leur place, j'aurais peut-être fait pareil.

Ils n'avaient aucune raison de penser que les Américains étaient là et ils croyaient sans doute à une astuce des Allemands.

151

Plus tard, on a remonté ou croisé des files de soldats allemands à pied, pour la plupart blessés, certains étaient dans des brouettes poussées par leurs copains. Ils avaient vraiment des tristes mines.

On leur a envoyé des jurons. Ils n'ont même pas répondu. Ce n'était peut-être pas gentil de notre part, mais on l'a fait.

Enfin, nous sommes arrivés dans le village. Il y avait une petite caserne qui était installée plutôt comme une unité de cavalerie, avec des écuries. C'était joli, c'était blanc.

On nous a priés d'entrer dans un réfectoire tout en long, où il y avait, pour nous tous, le nombre exact de places à table.

A chaque place, il y avait un couteau, une petite assiette, une minuscule tranche de pain sur l'assiette, un peu de beurre et une très mince tranche de saucisson sec. Et une tasse.

Deux ou trois soldats allemands sont venus verser un mauvais ersatz de café, sans sucre, dans les tasses. C'était le général allemand qui avait voulu nous recevoir de la sorte.

Il nous paraissait assez évident que ce général avait essayé de nous attirer le plus à l'est possible pour que les Russes ne viennent pas en Tchécoslovaquie. Il espérait que nous serions suivis par toute l'armée américaine. C'était certainement aussi l'idée de PATTON.

Je ne sais pas si on trouve trace de notre mission dans les livres d'histoire, mais je jure que tout cela est vrai.

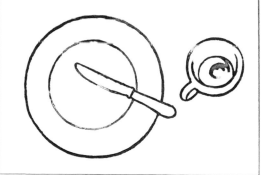

Comme il n'y avait pas grand-chose, on a fini notre petit déjeuner assez rapidement. On est sorti dans la cour et là, un officier nous a dit :

Le général allemand s'est rendu.

Aujourd'hui, huit mai, vous pouvez considérer que maintenant, vraiment, la guerre est finie.

21

Nous sommes allés au village. Les gens du village avaient dressé des tables dans un pré et nous ont servi un excellent petit déjeuner. C'était bienvenu, parce qu'évidemment, on avait encore très faim.

Le café était toujours de l'ersatz, mais meilleur, il y avait de superbes pains sucrés, bons et frais comme des brioches, avec du pavot dessus. C'est bon, le pavot. Si vous en mettez beaucoup, ça a le goût de chocolat.

Ecoutez, les gars, l'ordre, maintenant, est de retourner à PILSEN. On va vous indiquer l'itinéraire. Il ne faut A AUCUN PRIX passer par PRAGUE, parce que les Russes vont y être.

Nous sommes donc rentrés à PILSEN. A l'arrivée, il nous manquait une jeep. Celle de ce caporal KRAUS qui avait fait bouillir ma mitrailleuse.

Une dizaine de jours plus tard, alors qu'on pourrissait sur place dans des tentes à deux hommes, au milieu des bois, voilà KRAUS qui débarque avec ses trois gars, un grand drapeau américain fait main flottant au-dessus de la jeep.

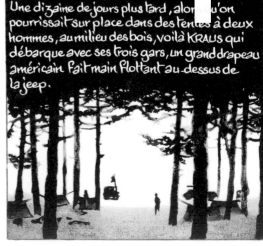

Leur histoire était que : ils avaient crevé, ils ont mis la roue de secours et ont re-crevé. Ils étaient donc coincés, ils ne pouvaient pas rouler.

Est arrivé, sur la route de PRAGUE, un véhicule allemand chargé d'officiers qui fuyaient PRAGUE, que les Russes avaient prise la nuit même.

Ils se sont constitués prisonniers, tout contents de se rendre aux Américains plutôt qu'aux Russes.

Avant que KRAUS ait eu le temps de décider ce qu'ils pouvaient faire pour la roue, un véhicule chargé de Russes, qui poursuivait les Allemands, leur est tombé dessus.

Les Russes ont dit à KRAUS (tout le monde parle plus ou moins anglais dans ces circonstances) :

Ce sont vos prisonniers, qu'est-ce que vous allez en faire ?

Notre caporal ne faisait pas le poids à côté de ces officiers russes et il a dit :

Ben, je vous les donne.

C'est très bien.

Ils les ont alignés et fusillés sur le champ.

Ensuite, les Russes ont remplacé la roue et ils ont amené nos gars à PRAGUE, où ils sont restés une bonne semaine, fêtés par les Russes et les Tchèques.

Des femmes tchèques ont conçu, avec des bouts de tissu de toutes sortes, le drapeau qui flottait au-dessus de leur véhicule.

Il a de nouveau été question de faire passer KRAUS en cour martiale, parce qu'il n'avait pas fait ce qu'il aurait dû faire, mais enfin, l'affaire s'est éteinte.

On nous a dit un jour qu'un général voulait qu'on fasse une photo de lui avec chacun de nous pour témoigner de sa reconnaissance à la suite de notre mission.

On s'est mis propre, on est allé sur une sorte de champ et on a été présenté un à un à ce général. Il n'a presque rien dit, tout ça a eu lieu en un temps record.

Quelques jours après, chacun a reçu son exemplaire de la photo.
Mais il n'y a pas eu de cérémonie, ni rien.
Le sergent nous a attrapés au passage quand l'occasion s'est présentée.
Je n'ai eu la mienne que vers la fin. Il me l'a donnée en disant :
"Tiens COPE, ta photo. Malheureusement, c'est marqué CAPORAL COPE,
mais ce n'est pas toi, je ne crois pas."
Et en effet, je ne me suis pas reconnu, c'était quelqu'un d'autre.
J'ai demandé : "Qui est-ce ? Je vais échanger."
Il m'a répondu : "Je ne sais pas qui c'est, mais puisque c'est tout ce qu'il y a,
prends-la, ça te fera quand même un souvenir."

Pendant cinquante ans, j'ai mis cette photo dans ma boîte à oubli.
Et puis récemment, mon jeune frère, qui a dix-huit ans et demi de moins que moi,
m'a envoyé un album de vieilles photos qu'il a trouvé en Californie.
Dans sa lettre, il m'a dit : "J'ai eu plaisir à voir le général PATTON qui serre ta main.
Quand j'habitais PASADENA, je suis devenu ami avec son petit-fils."
Que mon frère ait cru qu'il s'agissait de moi sur la photo n'est pas étonnant.
La dernière fois qu'on s'est vu en chair et en os, il n'avait que quatre ans.
Par contre, je doute que ce soit vraiment PATTON.
À mon avis, il s'agit d'un caporal qui n'est pas COPE
en train de serrer la main d'un général qui n'est pas PATTON.

22

Comme on devait rester cantonné
dans la banlieue de PILSEN,
on a réquisitionné des maisons.
On nous avait signalé, à proximité,
un jardin où il y avait une tonnelle.
Sous cette tonnelle, on pouvait
se servir librement de la bière de PILSEN
dans un énorme fût.
J'y suis allé.

Le jardin était grand, joli, un peu formel
comme un jardin à la française, mais mal
entretenu. La bière n'était pas trop affinée
mais elle était bonne. J'aime la bière de
PILSEN. Chaque fois que j'en bois, je pense
à cette histoire.

Curieusement, la plupart des militaires
n'y allaient pas. Ce jardin avait quelque chose
d'un autre monde. Ça leur faisait peur.
Pourtant, c'était typique des soldats
de boire de la bière gratuitement.
Moi, j'y suis allé souvent.

En explorant le jardin, j'ai vu qu'il faisait
partie d'une propriété dans laquelle
il y avait une très belle maison bourgeoise.

Je me promenais seul là-dedans,
quand un jour j'ai rencontré une femme.

158

Lui donner un âge, c'est difficile. Avait-elle quarante-cinq ans ? Probablement. Elle était fatiguée, donc elle faisait plus. Elle était très noble et elle lavait du linge dans un grand bac, en frottant à la main.

On s'est dit bonjour. Elle parlait allemand, je baragouinais quelques mots et je l'ai trouvée tout de suite gentille.

La maison était à elle. Elle s'est essuyé les mains et elle m'a dit d'entrer.

Son salon était très grand, presque comme une entrée d'hôtel, avec trois ou quatre sofas et un superbe piano à queue. Il y avait des partitions de musique empilées partout.

Son piano était accordé. Je jouais très mal, à l'époque, mais elle m'a dit: "Amusez-vous." Alors, j'ai cherché une partition et j'ai joué un peu.

Et puis on a bu un café. Elle était brune et je voyais qu'elle avait été très jolie quand elle était jeune, mais elle était usée par l'existence.

Je suis pianiste et, autrefois, quand j'étais jeune femme, j'ai donné des concerts. Et puis la guerre est venue et mon mari est mort. Pendant toute la guerre, pour vivre, j'ai lavé le linge.

Elle m'a montré ses mains, qui ressemblaient à des mains de sorcière.

Vous pensez bien que je ne joue plus, parce que j'ai toujours lavé le linge à l'eau froide. Mais toutes les partitions que vous voyez là, je les ai jouées.

C'était très triste. Il y avait dans ce salon tout ce qu'on peut imaginer de beau et d'accompli en musique. Et elle, elle n'avait aucun autre moyen de subsistance que de laver du linge.

Je suis revenu la voir deux ou trois fois, toujours seul. Aucun autre de mes camarades ne lui a parlé. On ne pouvait pas dire grand-chose parce qu'on ne se comprenait pas, mais j'ai bien compris son âme et elle a bien compris la mienne.

Et puis nous sommes partis dans un autre village.

Là, nous avons occupé quelque temps un manoir abandonné au bord d'une rivière. Une grande bâtisse rectangulaire, qui avait à peu près les proportions d'un quart de beurre. Peut-être une ancienne loge maçonnique.

La maison était vide, à part quelques chaises. Il n'y avait pas de cheminées, mais l'emplacement de poêles qui n'étaient plus là. Pas d'électricité. On dormait sur les parquets délavés, dans nos sacs de couchage.

Il y avait, dans les grandes pièces du bas, à chaque emplacement de fenêtre, une paire de fenêtres avec un espace entre. Un bon espace, parce que les murs étaient épais d'au moins un mètre cinquante.

Quand le soleil donnait, j'aimais bien me mettre entre les deux fenêtres, que je refermais. Il faisait chaud, mais pas trop, j'avais la vue sur le grand parc et je lisais ou faisais ma correspondance.

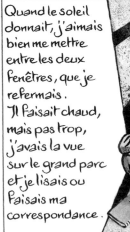

Il y avait dans ce parc un nombre considérable de statues. Ce qui était bizarre, c'est que pas une n'était debout.

161

C'était des imitations de statues antiques, des Zeus, des Apollon, des Diane, certaines nues, d'autres avec des draperies. On les avait toutes renversées mais pas cassées.

Souvent, elles étaient dans de drôles de postures, sur le nez, sur le dos, et deux ou trois étaient tombées contre un bosquet ou un arbre et restaient appuyées, comme si elles pensaient ou se reposaient.

Ça créait une impression, surtout la nuit, au clair de lune, fantastique et mystérieuse.

Nous changions sans arrêt de cantonnement. Ça permettait aux gens, quand nous logions dans des maisons particulières, de ne pas être hors de chez eux trop longtemps. C'était décent.

Un soir, il y a eu une petite fête, avec de la bière de PILSEN et même un peu de schnaps offert par l'habitant. Le sergent KUBACEK a beaucoup bu.

162

Il était très tard, presque tout le monde était couché. Une altercation verbale a eu lieu et KUBACEK s'est mis en colère contre nous.

Ses yeux brillaient, il nous a traités de je ne sais quoi et, subitement, il a sorti un énorme couteau.

Il n'avait pas l'air de savoir qui nous étions, il était très menaçant et il a commencé à faire des gestes vers les uns et les autres en disant :

Je vais vous tuer tous.

Tout le monde est parti sauf moi.

Je n'aimais pas tellement KUBACEK, je le tolérais, probablement comme il me tolérait. Mais je me suis dit : "je ne peux pas laisser cet homme dans cet état !"

C'est sans doute la chose la plus brave que j'aie faite pendant la guerre. Je me suis mis à lui parler pour essayer de le raisonner. Il se balançait d'avant en arrière, le couteau pointé vers moi.

Je me souviens qu'il a beaucoup grogné.
Ça m'impressionnait, qu'il grogne, mais
je n'avais pas peur. Ma seule pensée était :
"il faut lui faire passer ça".

Finalement, je l'ai senti fondre, pour ainsi dire.
Il est devenu immobile, il est resté coi,
ses yeux ne brillaient plus.

Il a murmuré quelque chose comme
"bonne nuit" et il est parti.

Le lendemain, il a semblé ne se rappeler de rien.
Exactement comme Louis, le gars qui avait
voulu me violer.

Ensuite, on a été cantonné dans une ferme
assez isolée. Nous devions monter la garde
24 heures sur 24 dans une usine. Je n'ai
jamais très bien compris quel genre d'usine
c'était. Pourtant, j'ai passé quelques nuits
à m'y promener.

La ferme appartenait à des Allemands sudètes.
On était humblement logé dans une aile.
Un jour, un chien est arrivé.

C'était absolument un cabot quelconque. Il avait l'air de venir de loin et il avait faim. Tout le monde était déplacé, à l'époque.

Il ne comprenait ni l'allemand, ni l'anglais. Je lui ai dit les deux mots de français que je savais, il n'a pas compris non plus. Enfin, on l'a nourri et il est resté là.

On se fabriquait des objets avec du bois, à la fois pour s'occuper et se meubler. Un jour, POLSKI construisait un petit banc et il s'est donné un grand coup de marteau sur le doigt.

POLSKI était américain, mais, vu ses origines, il a juré en polonais.

Aussitôt, on a vu le chien dresser les oreilles, venir à POLSKI et japper. Il connaissait les jurons et il était polonais.

Je ne sais pas comment il avait atterri là, mais c'était un chien polonais qui ne comprenait que le polonais. POLSKI lui a parlé. Il savait des tours, donnait la main, faisait le beau, tout ça, pourvu qu'on lui parle sa langue.

Derrière la ferme, il y avait un bâtiment où habitait une femme, qui avait eu sans doute affaire avec l'usine, et ses enfants. Papa, je ne sais pas où il était.

L'aîné des enfants devait avoir onze ans à peine. Il s'appelait JÜRGEN.

Avec le temps, on est devenu un peu copain. Quand je montais la garde, en fin de soirée, j'allais parler à ces enfants, devant leur maison. La femme restait à l'intérieur.

Ils n'étaient évidemment pas dangereux. Je n'avais qu'une petite carabine que j'appuyais contre le mur, le temps de fumer une cigarette. C'était une connerie.

Un soir, JÜRGEN s'est saisi de ma carabine chargée pendant que je ne faisais pas attention. Il l'a mise sur son épaule et il a marché de long en large comme un soldat, un, deux, un, deux.

Quand je l'ai vu, j'ai été furieux contre moi-même. Je lui ai dit :

Ça suffit. Rends-moi cette arme. Tu sais que ce n'est pas bien, ce que tu fais.

Il m'a regardé en se moquant de moi. Et puis il m'a tendu la carabine, bien gentiment.

Une autre dépendance était habitée par ce qu'on appelait des personnes déplacées.
La dépendance n'était pas mal : salle à manger, cuisine, chambre à l'étage.
Eux, c'était des bohémiens qui venaient de je ne sais quel pays slave.
Ils se débrouillaient en anglais et je parlais avec eux.
Il y avait deux femmes et trois hommes. Je les trouvais sympas.
Je ne pouvais pas imaginer ce qu'ils faisaient.
Ça aurait pu être des gens, genre barmen dans des cabarets,
petite chanteuse, femme qui aurait pu danser de façon
un peu aguichante, cette sorte de personnes.
Peut-être des proxénètes.
Les femmes étaient bien, mais pas jeunes.

Ils avaient une arme de chasse. J'étais censé
ne pas permettre ça, mais je le permettais.
Ils chassaient le lapin.
Des lapins pendaient sous les auvents.
Ils laissaient faisander la viande sans faire
couler le sang.
Quand c'était bien faisandé,
ils le mangeaient.

Un jour, un des types me dit :

Ce soir, on va faire cuire trois lapins.
Venez manger avec nous, si vous voulez.

Je me suis arrangé
pour ne pas être
de garde et j'y
suis allé.

167

C'était délicieux, leur lapin faisandé.
Mais vraiment, très, très bon. Je leur ai offert
des cigarettes.

On va voir si on peut faire tourner la table.
Voulez-vous faire ça avec nous ?

D'accord.

Nous sommes montés à l'étage. Là, ils avaient
une table ronde avec un alphabet tout autour
et, sur la table, un verre à liqueur.

On s'est assis autour de la table, très
sérieusement, et ils m'ont expliqué qu'il
fallait mettre deux doigts sur le pied du
verre renversé au milieu de la table, vider
ses pensées et laisser le verre se guider
vers les lettres.

Je me suis dit : "Au fond, pourquoi ne pas
croire un peu à ça ?" et j'ai fait de mon
mieux pour participer à l'expérience.

Alors, nous avons commencé et le verre s'est
déplacé assez souvent. Ils notaient les lettres
sur lesquelles s'arrêtait le verre et ils
secouaient la tête, l'air consterné.
Ça ne donnait rien.

Au bout d'un certain temps et de je ne sais combien de cigarettes, on s'est arrêté.

Non. Ce soir, ça ne marche pas.

Ils étaient réellement déçus. Je crois qu'ils pensaient qu'en tant qu'Américain, je contribuerais à quelque chose d'extra-ordinaire et il n'y a eu aucun message, rien du tout.

Enfin, le lapin était très bon.

Nous faisions encore des patrouilles dans la campagne avec tous nos véhicules, de village en village. Un soir, nous nous sommes arrêtés dans la cour d'une très grande ferme où nous avions l'intention de réquisitionner quelques chambres.

Nous avons aligné nos véhicules de façon bien militaire et tout le monde est entré dans les bâtiments, sauf moi.

Je me tenais debout devant notre armored car, appuyé dessus et je réfléchissais. A quoi, je ne sais plus.

Subitement, le véhicule a fait un bond en avant et m'a renversé.

169

POLSKI était resté dedans, je ne m'en étais pas rendu compte. Il avait décidé qu'il était mal aligné par rapport aux autres véhicules. Ces armored cars ont un embrayage brutal. Quand ça part, ça part avec un bond.

Le pneu de la roue avant droite s'est mis à rouler sur mes treillis et m'emprisonnait. J'ai crié, mais avec le bruit du moteur, POLSKI ne m'entendait pas.

Il avançait lentement, lentement, pour s'aligner bien comme il faut, et je ne pouvais pas arracher mes vêtements. La roue est arrivée à mon aisselle.

Je hurlais. J'ai levé mon bras le plus possible et je me suis dit : il va monter sur mon épaule et ma poitrine et m'écraser, comme le tankiste a écrasé le jeune Allemand, l'autre nuit, à PRAGUE. C'est curieux, je vais mourir comme ce gars. Ça s'appelle une mort de guerre qui n'a rien à voir avec la guerre.

Il s'est arrêté.

Je n'avais eu qu'une forte pression mais pas de blessure.

Polski est descendu. Il est venu admirer comment il avait aligné l'armored car. Il m'a vu sous la roue.

Il a piqué une crise de stupeur terrible. Je suis arrivé à arracher mes vêtements. J'ai essayé de le réconforter.

Ça va, ça va. Je n'ai rien.

Il a passé plusieurs jours en état de choc, incapable de conduire. Quant à moi, je me sentais très bien.

23

Dans le village où KUBACEK a sorti son couteau, qui était aussi le village de la maison aux statues couchées, coulait une superbe rivière. Si j'y repense, j'entends la musique de la MOLDAU, de SMETANA.

C'était une rivière profonde, large, où l'eau coulait lisse et foncée. Les bords, couverts d'herbes sauvages, tombaient abrupts.

Un dimanche, il y a eu, au bord de cette rivière, une fête de village, une fête de printemps. Les gens pique-niquaient, jouaient un peu de musique.

Nos chefs nous ont dit qu'on pouvait y aller. Je m'y suis rendu, pas avec les amis de mon véhicule, mais avec STANLEY et d'autres.

Il se faisait un peu tard et les gens commençaient à partir. Bientôt, il n'y aurait plus grand monde. STANLEY et moi, on marchait lentement en causant et fumant une cigarette.

Nous sommes arrivés à côté d'un très grand arbre. Et là, adossée à cet arbre, il y avait une fille comme on en voit dans les rêves. Une gitane.

Elle était vraiment magnifique. On lui a passé une cigarette. Elle s'est mise à me dire des choses en allemand que je n'ai pas comprises.

STANLEY m'a secoué et m'a dit :

Mais tu ne comprends pas ? Elle veut que tu l'accompagnes jusqu'à chez elle.

Ah ? C'est ça ?

STANLEY connaissait un peu plus d'allemand que moi. Il était surtout plus expérimenté.

Tu comprends, elle est très belle, il y a des gars partout et elle a peur de rentrer chez elle toute seule.

Ah, j'ai dit, oui.

Nous sommes partis. Elle m'a emmené hors du village.

Pendant qu'on baragouinait sans se comprendre, je la regardais, ébloui. Elle devait avoir seize ans. Elle me tenait par la main.

Ensuite, nous avons pris une petite route qui montait, au milieu d'une coupe de bois. Elle marchait sans effort, avec grâce et énergie, comme quelqu'un qui aurait pu grimper sur l'Everest.

De l'autre côté de la colline, nous nous sommes trouvés dans une vallée très étroite où tout était sauvage et boisé, sur un chemin de rien du tout.

On tournait à droite, à gauche, on contournait des choses. Je me disais : "est-ce que je saurai revenir ?"

On a marché longuement, le fond de la vallée s'est élargi et, au loin, j'ai vu une cabane de rondins. Elle m'a dit : "c'est là que j'habite avec ma grand-mère."

Et subitement, elle m'a ordonné :

Arrête !

Elle m'a attiré au bord de la route, vers une petite clairière entre les conifères, où il y avait une belle herbe verte.

174

Et là, elle m'a fait comprendre qu'elle voulait que je la prenne.

Je dois dire que j'étais jeune et que je n'avais pas connaissance de comment faire dans ce genre de situation.

Elle m'a jeté par terre.

Je lui ai dit :

Non.

Ah.

Nous sommes donc allés à la cabane de la grand-mère.

Il n'y a plus personne, maintenant, sauf ma grand-mère et moi. Les autres sont partis.

Il commençait à faire carrément nuit. Je n'avais pas le droit de sortir la nuit, seul et sans permission. Je pouvais être puni. Arrivé à la porte, je lui ai dit :

Il faut que je rentre au village.

Reviens demain.

D'accord. Je reviens demain.

Elle a frappé à la porte et une très vieille dame qui ressemblait à tout ce que vous voulez comme sorcière, formidable, fantastique, a sorti la tête.

J'ai redit : "je reviens demain ici", elle a dit "oui oui", sa grand-mère l'a empoignée, tirée dans la maison et a claqué la porte.

J'avais à me repérer dans le noir pour retourner au village.

J'ai suivi toutes ces petites pistes avec une certaine anxiété, mais je ne me suis pas trompé.

J'ai passé le reste de la nuit à penser à elle.
J'étais un jeune innocent.

Le lendemain, je me suis dit : "Aujourd'hui, je vais prendre mon courage à deux mains et faire connaissance avec l'amour."

J'ai pu me libérer en fin de journée et j'ai refait le chemin.

Arrivé à la cabane, j'ai frappé, frappé et je n'ai pas eu de réponse. J'ai regardé et appelé alentour, il n'y avait personne.

Elles étaient parties.

Je me suis révélé
dans cette histoire.
C'est assez gênant.
Bah. Non, pas tellement.
Je revois toujours cette gitane,
d'une beauté incroyable,
avec sa longue jupe
et ses longs cheveux,
qui habitait au fond des bois
avec sa grand-mère.
C'est...HAHAHA !
C'est incroyable.
Mais la fin n'est pas très bien.

24

Mon unité stationnait dans les forêts de Bohême autour de Marienbad.
J'allais à Marienbad, quelquefois, le soir.

J'ai rencontré là un très jeune Allemand qui s'appelait JAKO. Devait avoir... neuf, dix ans. Les Américains l'avaient ramassé, adopté et lui avaient fait un petit uniforme. Il venait d'une ville, en Pologne, j'ai oublié laquelle. Plus de parents du tout.

Il parlait anglais.

Écoute, tu ne peux pas rester comme ça. Veux-tu venir en Amérique avec moi ?

Oui, SHORTY.

Il m'appelait SHORTY. J'étais assez petit.

J'ai écrit à mes parents, qui n'ont pas répondu. J'ai vu l'aumônier, j'ai fait des démarches, ça n'a rien donné.

Subitement, nous avons dû quitter la Tchécoslovaquie à cause des accords de Yalta. On est parti en grande hâte et j'ai perdu JAKO.

Je me suis retrouvé en Allemagne, dans une caserne, à côté de la ville de Regensburg.
Autrefois Ratisbonne.

J'étais radio et, étant donné qu'on n'avait plus besoin de radio, je montais la garde tout le temps. C'était très ennuyeux. L'hiver approchait.

Un jour, le préposé administratif à la dactylographie, qu'on appelait le « company clerk », est parti. La guerre était finie et on renvoyait de plus en plus de militaires chez eux. Il devenait difficile de trouver des gens spécialisés. On a demandé au rapport du matin :

Est-ce que quelqu'un sait dactylographier ?

J'ai pensé : « J'en ai marre de monter la garde » et j'ai dit :

Moi.

Je savais un peu dactylographier.

Eh bien, c'était un travail exténuant. Il n'y avait que des transferts. Des gens qui arrivaient de partout et d'autres qui rentraient en Amérique. On n'en finissait pas. Je dactylographiais du matin au soir, jusqu'à très tard.

Parfois, tout de même, je pouvais aller en ville. Au mess des soldats, il y avait des musiciens allemands.

J'ai repéré un frère et une sœur qui chantaient des chansons bavaroises en s'accompagnant à l'accordéon pendant les repas de midi. Klementine et Erich. Elle avait à peine seize ans, lui, à peine dix-huit.

Ils étaient adorables et ils jouaient et chantaient très bien. On a fait un peu amitié, comme on pouvait, dans nos langues différentes.

Ils ont fini par m'inviter chez eux, avec l'accord de leurs parents.

Ils habitaient une petite maison dans le vieux Ratisbonne, dont l'adresse était le numéro un, venelle de la vache, « KUHGÄSSEL ». Une ruelle si étroite que, disait la légende, une vache pleine s'était coincée là et avait été obligée de mettre bas entre les deux murs parce qu'elle ne pouvait ni avancer ni reculer.

Je veux bien le croire, une personne passait à peine.

On a ouvert une porte et j'ai vu deux bâtiments flanqués d'un petit jardin de ville, avec un arbre. A gauche une maison de jardin, à droite la maison d'habitation, au fond une tonnelle et derrière une sorte de basse-cour peuplée d'oies et de quelques poules.

J'ai fait connaissance de papa et maman ROSSBAUER. Il conduisait les trolleys. Un ami de la famille vivait à la maison, qu'ils appelaient Oncle Peppi. On a fait un repas absolument cordon bleu.

J'ai appris qu'en fait Erich et Klementine n'étaient que cousins.

Erich est le fils de ma sœur. Elle est morte jeune, quand il avait neuf ans. Je l'ai élevé avec mes enfants.

Mon fils s'appelle Helmut. Il a vingt-deux ans, il est dans un camp de prisonniers, heureusement pas loin d'ici. Il était dans les blindés, comme toi. Quatre ans de guerre, pas une blessure. Et puis, il a eu la jambe gauche arrachée à un mois de la fin.

J'ai été réinvité souvent chez les Rossbauer. A vrai dire, j'avais table ouverte chez eux et j'y allais chaque fois que c'était possible.
J'ai commencé à apprendre l'allemand.

1
Kuhgäffel
(A132½)

186

Je dois avouer que j'ai trouvé Klementine extrêmement agréable. Cela m'a posé un problème de conscience.

Depuis quelques semaines, j'étais engagé dans une correspondance avec Patzi, la sœur d'Egypte, et on était plus ou moins en train de s'éprendre l'un de l'autre par lettre.
C'était une erreur, d'ailleurs, mais je ne l'ai su que plus tard.

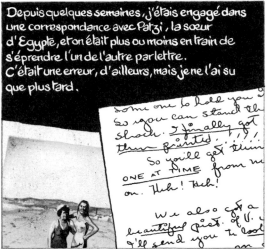

Evidemment, Klementine chantait pour moi et elle s'est mise à me tricoter un magnifique pull-over jacquard. Les choses devenaient peut-être un peu sérieuses, si on veut.

On est allé voir Helmut au camp de prisonniers lors des heures de visite. Il portait un pantalon long et ficelait la jambe vide à hauteur des chevilles avec un caoutchouc. Je lui fourrais un tas de cigarettes et de chocolat dans sa poche, qu'il avait percée, et ça remplissait la jambe comme un sac.

Je leur apportais ce que je pouvais, moi l'Américain qui avais tout, mais je dois dire que c'était plutôt eux qui me gâtaient.
Maman Rossbauer avait de la famille à la campagne autour de Regensburg, elle allait chez ces gens et revenait avec des choses à manger.
Elle faisait des conserves, des liqueurs de fraise et de framboise.
Elle avait un truc, qu'elle n'a pas voulu me dire, pour conserver les œufs pendant des mois et des mois.
Je ne suis jamais descendu dans sa cave, mais elle sortait des merveilles de là-dedans.

Un jour où je marchais dans Regensburg, j'entends :

HÉ, SHORTY ! C'EST TOI ?

JAKO !

Qu'est-ce que tu fais là ?

Bof, rien. Ce que je peux.

J'étais très heureux de retrouver JAKO.

Il était en civil. Devenu assez vulgaire d'allure et de parole.

Écoute, je vais chez des amis. Viens avec moi. Tu pourras manger et dormir là, si tu veux.

Je veux bien.

Les Rossbauer l'ont reçu et il a couché chez eux. Klementine s'est plainte, le lendemain.

Qu'est-ce qu'il est grossier ! Il parle comme... tu ne peux pas t'imaginer !

JAKO m'a dit qu'il me pardonnait de ne pas l'avoir emmené quand j'ai quitté Marienbad.

Je vais me débrouiller. Je sais faire plein de choses.

Il est parti et je ne l'ai jamais revu.

25

Soudain, j'ai été transféré. L'aumônier de notre unité, le chapelain Pliney Eliott, venait de perdre son assistant, rentré aux Etats-Unis.

Voudrais-tu être mon assistant ? J'ai entendu dire que tu joues de l'orgue et que tu chantes bien.

Je peux me débrouiller un peu à l'harmonium, mais je chante très mal.

Je n'étais pas chaud pour quitter Regensburg.

Tu sais conduire ?

Non. Enfin, je sais conduire un tank, mais à peine une voiture.

Ah ! C'est ennuyeux !

Et vous, vous ne savez pas conduire ?

Si, mais je déteste ça. Bah ! Ecoute, tu apprendras. Je vais régler ton transfert avec ton adjudant. On part demain.

Le lendemain, en fin de journée, je me suis retrouvé au volant d'une jeep avec remorque, le chapelain Eliott à côté de moi, en train de rouler vers les Alpes.

Rapidement, la nuit est tombée et on a eu de la neige. Il m'indiquait la route. Je conduisais comme je pouvais.

Il s'est trompé plusieurs fois, alors il fallait que je recule, avec ma remorque, sur des petites routes sans éclairage.
A deux ou trois reprises, j'ai manqué de rentrer dans des voitures qui venaient vers nous.

Dans les passages pas trop délicats, il parlait. C'était un gars d'à peu près quarante-cinq ans, originaire du Middle West. Kansas City. Très fondamentaliste, mais ça ne me gênait pas. A l'époque, je l'étais aussi. Un homme tout à fait sincère.

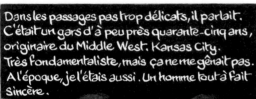

J'ai assisté à la libération d'un camp de concentration près de Munich, il y a quelques mois. J'étais parmi les premiers soldats à arriver là.

A l'extérieur du camp, près de l'entrée, il y avait un cheval mort, visiblement depuis des jours. Il était tout gonflé, le ventre énorme et les pattes en l'air. Quand on a ouvert les portes, quelques prisonniers affamés qui pouvaient courir se sont rués sur ce cheval et ont commencé à le manger à pleines dents.

Il a continué à raconter. Il était bouleversé et moi aussi, de toute évidence.

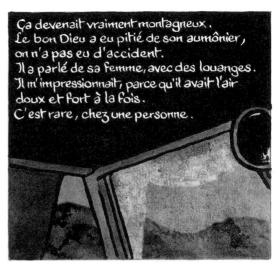

Ça devenait vraiment montagneux.
Le bon Dieu a eu pitié de son aumônier, on n'a pas eu d'accident.
Il a parlé de sa femme, avec des louanges.
Il m'impressionnait, parce qu'il avait l'air doux et fort à la fois.
C'est rare, chez une personne.

Aux petites heures du matin, nous sommes entrés dans un village à peine éclairé.

On arrive. On va aller directement là où tu seras logé.

Voilà, c'est ici.
Arrête.

J'avais appris à conduire en une nuit.
J'étais content de moi et lui aussi.

Je ferai mener la jeep au parking par un militaire. Prends tes affaires, va t'installer et repose-toi.

D'accord.
Merci.

Un sous-off m'a reçu dans un grand chalet.

> Comment ça va ? Viens avec moi, tu vas choisir ta chambre.

On ne m'avait jamais parlé aussi gentiment depuis le début de la guerre. J'étais plutôt habitué aux sous-officiers diaboliques.

> J'en ai deux ou trois de libres. Tu vas les regarder et tu choisiras celle que tu veux.

> Celle-ci a un balcon.

> Je la prends.

Je me suis endormi en me disant : « Tu es tombé au paradis. »

En début d'après-midi, à mon réveil, j'ai ouvert la porte du balcon.

J'ai appris en descendant, par le sous-off, que ce superbe lac s'appelait le TEGERNSEE et la ville, BAD WIESSEE.
Tout au sud de la Bavière, pas loin de la frontière autrichienne.

J'ai rejoint le chapelain Eliott.

ASKANIA

Il prenait ses fonctions d'aumônier dans un grand hôtel transformé en hôpital de campagne.

Il m'a montré la salle à manger, vaste, belle, avec un énorme poêle en céramique blanche au milieu et des baies qui regardaient les montagnes.

J'ai passé un bon moment, là. Six mois. Six mois incroyables.

26

On se déplaçait à droite à gauche dans des petits patelins. J'établissais l'autel, je jouais de l'harmonium, je faisais chanter les militaires. Rien de difficile.

Le chapelain, en tant que gars du Middle West, aimait la chasse et avait un fusil.
On allait dans les champs, il me guidait et tirait depuis la jeep.

Je ramassais ce qui tombait. On revenait avec un nombre incalculable de volatiles. Le dimanche, on mangeait du faisan au mess des soldats. Il en donnait aussi aux Allemands, qui n'avaient pas le droit de détenir des armes à feu, donc de chasser.

Parfois, il fallait aller très loin, jusqu'à Nuremberg, dans un camp de personnes déplacées slaves.
On livrait du vin de messe, des cierges, des bibles et des imprimés en langues slave et allemande à un aumônier catholique du nom de RUDI.

Comme le trajet était interminable, on faisait halte pour la nuit à Regensburg.

J'avais parlé au chapelain de mes amis Rossbauer. Il connaissait Klementine et Erich, d'ailleurs.

C'est les deux qui jouent de l'accordéon au mess ?

Oui. Et qui chantent.

194

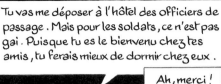

Tu vas me déposer à l'hôtel des officiers de passage. Mais pour les soldats, ce n'est pas gai. Puisque tu es le bienvenu chez tes amis, tu ferais mieux de dormir chez eux.

Ah, merci!

Il y a un seul problème, c'est que tu n'as pas le droit de laisser la jeep dehors. Et si tu la mets au parking, tu ne pourras plus sortir de la caserne.

Je trouverai une solution.

La vérité, c'est qu'il était interdit de se mélanger aux Allemands. Moi, bien sûr, je me mélangeais le plus possible, comme je l'ai fait toujours et partout dans ma vie.

Les Rossbauer m'ont accueilli avec des cris de joie. Maman Rossbauer a eu tout de suite une idée pour la jeep.

Viens, suis-moi.

Juste à côté de la Kuhgässel, il y avait une église transformée en orphelinat. Maman Rossbauer connaissait bien les bonnes sœurs qui tenaient ça. Elles ont ouvert en grand les portes et j'ai garé la jeep dans le cloître. Ni vu ni connu.

Ma place de parking pour une nuit m'a coûté dix litres d'essence. Les sœurs en avaient besoin pour fabriquer de l'encaustique. Aucun problème. Nous autres, Américains, on en avait autant qu'on en voulait.

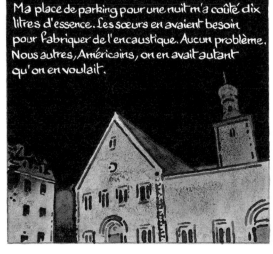

195

Le lendemain matin, à l'aube, j'ai ressorti discrètement la jeep de l'église, récupéré le chapelain à son hôtel et on est parti pour Nuremberg. On a utilisé ce système plusieurs fois et ça marchait très bien.

Il fallait aller assez souvent à Nuremberg, car l'aumônier catholique, Rudi, célébrait énormément de messes dans divers lieux de culte de la région. Il avait donc besoin de beaucoup de vin et de matériel.

Un jour, nous l'avons trouvé pris de boisson. Le chapelain Eliott lui a fait avouer qu'en fait, il disait très peu de messes, buvait le vin et même le vendait. Grosse déception. Il l'a engueulé bien comme il faut.

Le chapelain avait eu confiance en cet homme. Pour ma part, je ne l'avais jamais aimé. Il y a des arnaqueurs qui sont sympas, mais c'est assez rare, tout compte fait. On était venu lui livrer un tas de bouteilles, on n'en a laissé qu'une.

Ça suffira pour les messes que tu as à dire jusqu'à ce que je revienne !

Grâce au réseau des pasteurs militaires américains, nous étions très bien reçus dans toutes sortes d'endroits. Avec des infirmières de l'hôpital, nous avons fait des visites particulières des châteaux de Ludwig II, qui étaient fermés à l'époque, ou de la maison de Richard Strauss à Partenkirchen.

Lors d'un passage par Regensburg, j'ai parlé aux Rossbauer des montagnes enneigées autour du Tegernsee et j'ai dit que moi, jeune Californien qui n'avais jamais fait de ski, j'aimerais essayer.

Ah! Mais j'ai des skis!

Tu me les loues?

Les skis étaient beaucoup trop longs pour ma taille, mais Erich a décidé que ça ne faisait rien. Il m'a donné les bâtons qui allaient avec.

A Bad Wiessee, j'ai retrouvé un copain militaire, un sportif, qui dirigeait l'équipe de basket du personnel hospitalier. Il avait emprunté des skis, lui aussi, et, comme moi, il ne savait pas en faire.

Il faut qu'on trouve une bonne pente où personne ne peut nous voir et qu'on essaie franchement.

Une nuit de pleine lune, très claire, à minuit, on est allé tous les deux sur une colline à l'orée du village. La neige était bien tassée et glissante.

On a tiré à la courte paille pour savoir qui descendrait le premier. Il a gagné et il s'est lancé.

Je l'ai suivi à distance raisonnable, avec mes skis trop longs. Je me débrouillais à peu près.

Je l'ai rejoint en bas de la pente. Il était couché par terre.

J'ai une jambe cassée.

J'ai dû le traîner jusqu'à la route. Un gars lourd.

Heureusement, on n'a pas attendu trop longtemps. Une patrouille est passée et l'a emmené à l'hôpital.

L'équipe de basket a perdu tous ses matchs cette saison-là.

Sur la même pente, quelques jours après, je me promenais à pied avec un autre militaire qui s'appelait JIM POST. Un peu plus âgé que moi.

On bavardait et un couple est passé. Un homme et une femme dans la quarantaine. Ils se sont approchés de nous aimablement et ils ont engagé la conversation.

C'est comme ça que j'ai fait la connaissance de cet être absolument extraordinaire qu'était - parce qu'il est mort, maintenant - GERHART MUENCH.

27

Nous sommes devenus très vite amis. Gerhart était un compositeur et pianiste allemand.
Vera, sa femme, était une poétesse américaine, de Boston.
Ils louaient, à Bad Wiessee, le premier étage d'un petit pavillon.

Là, ils n'avaient pratiquement rien, sauf une machine à écrire et un piano.
Ils nous servaient le thé, on leur apportait des cigarettes et quelques bouteilles.
Et Gerhart jouait.

On a passé, Jim Post et moi, des heures inoubliables à écouter un VRAI pianiste.
Il jouait toutes sortes de choses. Beaucoup de CHOPIN et de BRAHMS. Du SCRIABINE, aussi, qu'il m'a fait connaître.

C'est une longue histoire, celle de Gerhart. Nos vies se sont croisées à travers le monde, d'une façon curieuse. Vous verrez comment. Je l'ai beaucoup aimé.

Il était né à Dresde, en 1907. Un enfant prodige.
Il savait le latin, le grec, un peu d'hébreu et cinq ou six langues vivantes. A l'âge de vingt ans, comme beaucoup de jeunes Allemands de son niveau social et artistique, il a voyagé. Il est allé à Paris, mener une vie agréable.

Il était assez vilain, physiquement. Presque laid. Mais il aimait l'amour et les femmes l'aimaient beaucoup. Il a eu une maîtresse parisienne mariée à un peintre polonais. Elle habitait au numéro 45, rue du Faubourg-Saint-Honoré et s'appelait Bettina.

Il est resté dix ans à Paris. Sa vie était facile. Il pouvait toujours jouer du piano pour gagner de l'argent. Il a connu un tas de monde, notamment le dramaturge belge Fernand Crommelynck, celui qui a écrit « Le Cocu magnifique ». Une bonne pièce. Ils ont été amis intimes.

Au bout de dix ans, il s'est dit : « Je ne fais rien du tout. Je passe ma vie à la perdre. Il faut que je m'en aille. »

Il est parti en Italie.

Là, il a bourlingué dans le Nord, dans la campagne. Il vivait gratuitement, toujours en jouant du piano où il pouvait. Il a rencontré EZRA POUND, le poète, et il a passé trois ans auprès de lui, qui n'était pas un type commode.

Dans son soixante-quinzième CANTO DE PISA, Pound fait mention de Gerhart.
Je lis la traduction française :
« Hors du Phlegeton ! Hors du Phlegeton, Gerhart, sors-tu tout droit du Phlegeton ? Avec Buxtehude et Klages dans ta sacoche, avec la Ständebuch de Sachs dans tes bagages – non d'un oiseau mais de quantité d'oiseaux. »
Dans la version que je possède, il y a ces quelques lignes de texte et deux pages de musique. La musique, bien entendu, est de Gerhart. J'en ai fait faire une copie agrandie pour essayer de la jouer moi-même.

Tenez, la voici :

LXXV

Out of Phlegethon!
   out of Phlegethon,
     Gerhart
        art thou come forth out of Phlegethon?
with Buxtehude and Klages in your satchel, with the
Ständebuch of Sachs in yr/ luggage
       —not of one bird but of many

Le poème fait allusion à Ludwig KLAGES,
un auteur que Gerhart aimait.
Il est connu comme le père de la graphologie,
mais j'ai cru comprendre qu'au fond,
il était davantage philosophe.

KLAGES a écrit deux livres importants,
selon Gerhart et Vera,
qui sont presque impossibles à trouver.
Un long et un court.
Le premier s'appelle :
« VON WESEN DES BEWUSSTSEINS »
qui se traduit, je crois,
par quelque chose comme :
« DE LA CONNAISSANCE DE L'ÊTRE ».

Vera m'a raconté qu'elle a emprunté ce livre
quand elle était étudiante à l'université
de Vienne.
Il lui a paru tellement important que,
comme elle ne pouvait pas se le payer,
elle a copié plus de mille pages à la main.

J'ai tenté d'en avoir un exemplaire.
Un bouquiniste m'a dit qu'il l'obtiendrait
de son fils, libraire à Munich,
mais c'est tombé à l'eau.

Le deuxième livre, le petit, s'appelle :
« VON KOSMOGONICHE EROS »,
c'est-à-dire « DE L'ÉROS COSMIQUE ».

Je l'ai obtenu par la bibliothèque municipale
de La Rochelle, il y a des années.
L'exemplaire venait de la Sorbonne.
Il m'a été prêté un mois,
je l'ai copié à la machine, tant que j'ai pu,
sans le comprendre parce que c'est
un allemand difficile,
et quand je n'ai plus eu le temps,
j'ai fait photocopier les dernières pages.

Je ne l'ai toujours pas lu.
Je me promets de le lire un jour.

Ezra Pound a écrit des poésies extraordinaires, mais il a eu toutes sortes de torts. Il a exhorté les Américains à déserter, pendant la guerre. Sa vie est très intéressante du point de vue de l'erreur. Beaucoup d'artistes ont fait l'erreur d'être fascistes.

Richard Strauss, par exemple, a été mis à l'index par les Américains pendant quelque temps après la guerre. Gerhart l'avait croisé dans les années trente et disait de lui : « Cet homme ne connaissait que la musique, il aurait mieux fait de fermer sa grande gueule quand il s'agissait de politique. Il n'y comprenait rien. »

Comme beaucoup de gens de sa sorte, à l'époque, Gerhart a abouti à CAPRI. C'est là qu'il a rencontré Vera. La famille de Vera possédait une des plus grosses fortunes de Boston, dans les cristalleries. Mais Vera, comme Gerhart, était en rupture de ban et n'avait pas un sou.

Chose extraordinaire, car ce n'était pas du tout leur genre, ils ont décidé de se marier. Leurs amis ont essayé de les en dissuader.

C'est stupide. Les gens comme nous ne se marient pas. Vous allez divorcer au bout de trois jours.

Non. On va se marier.

Ensuite, Gerhart a voulu retourner à Dresde pour régler une affaire de famille. Tollé chez ses copains.

Mais tu es complètement fou ! Faut pas rentrer en Allemagne ! Tu n'as aucune idée de comment c'est avec Hitler ! Vous en mourrez !

Bah ! Juste deux semaines. On fait l'aller-retour.

Ils sont restés coincés en Allemagne pendant toute la guerre.

Gerhart a été pris dans l'armée. On a voulu qu'il joue du piano pour les officiers nazis et il a refusé. C'était un homme qui rejetait tout compromis. Il serait mort, plutôt. Je n'ai connu personne d'autre comme Gerhart, sur ce plan.

Vera, en tant que citoyenne américaine, a été encouragée à regagner les Etats-Unis. Elle a dit non.

Je reste avec mon mari.

Ils ont versé Gerhart dans un bataillon de construction qui réparait les toits, en plein hiver. Très mauvais pour les mains d'un pianiste.

Vera a bataillé avec le haut commandement du lieu et a fini par leur faire comprendre qu'ils sacrifiaient un artiste allemand pour des raisons absurdes. Par ailleurs, elle a convaincu Gerhart d'accepter de jouer, non pas pour les officiers, mais pour les soldats.

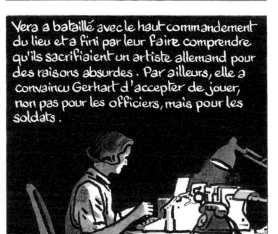

Alors il a joué pour les soldats. C'est comme ça qu'il a sauvé ses mains, peut-être même sa vie, mais ça lui a fait énormément de mal. Quand je l'ai connu, il avait de gros accès de neurasthénie.

Ils ont vécu le terrible bombardement de Dresde.
Ils logeaient chez un oncle. Gerhart citait cet oncle
comme exemple de stupidité allemande.
Quand ça devenait vraiment mauvais,
ils sont tous descendus à la cave.
Mais l'oncle a tenu à remonter le mécanisme
de son horloge de salon avant de descendre.

Il aurait pu mourir en remontant son horloge.

Enfin, ils ont survécu et fini par échouer au bord du
Tegernsee, où je les ai rencontrés. Quand ils sont arrivés là,
PATTON avait une de ses résidences de l'autre côté du lac.

L'état-major manquait de
machines à écrire.
Patton a fait saisir toutes
les machines alentour,
y compris celle de Vera.

Elle est allée le voir personnellement et elle lui a dit :

Je suis votre concitoyenne et mon mari est un homme honorable, vous le savez.
Nous n'avons jamais rien fait de mal. Et vous m'enlevez la seule chose précieuse
que je possède, qui peut m'apporter du réconfort et m'aider à gagner ma vie ?

Elle a récupéré
sa machine.
Voilà le genre
de femme
qu'était Vera.

28

Je devrais aussi parler d'une fille qui s'appelait GISELA.
Elle avait mon âge et travaillait comme téléphoniste pour l'armée américaine.
Le haut commandement l'avait approuvée pour cette tâche,
alors que son père avait été général dans la Wehrmacht. Mais pas nazi.
Elle était blonde, jolie comme tout, très intelligente et nous sommes devenus amis.
Camarades, disons.
Les autres ne l'aimaient pas.
Ils l'appelaient « COPE'S NASTY LITTLE NAZI ».
Il faut dire qu'elle avait cru au nazisme.
Elle regrettait que ça n'ait pas marché.

Elle m'a présenté sa mère et sa sœur, qui avait deux ans de moins qu'elle. Sa mère était une de ces Allemandes ultra-correctes, très effacées. Son père était mort sur le front russe. Dans un pot, sur la cheminée, il y avait de la terre prélevée sur sa tombe. A côté, une lettre de condoléances signée Adolf Hitler.

Elles ne voulaient rien accepter de moi, sauf quelques cigarettes pour Gisela. J'avais toujours droit à un ou deux toasts grillés avec un peu de lard dessus, parce qu'il n'y avait pas de beurre.

Quand mon père est mort, ma mère et ma
soeur ont quitté Berlin. Moi, je suis restée.

Je voulais rester
jusqu'au bout.

Finalement, un ami de mon père a pu m'avoir
une place sur le dernier train de civils qui
sortait de Berlin, fin mars, et j'ai accepté
de le prendre. Mais je détestais l'idée de
partir. C'était comme une désertion.

Au moment où le train démarrait, une femme
qui était sur le quai m'a jeté un nourrisson
dans les bras, par la fenêtre, en disant:
« S'il vous plaît, sauvez mon fils ! »

J'ai pensé: « Me voilà avec un bébé à vingt
ans. Je ne pourrai jamais me présenter
chez moi avec un bébé. » J'ai fait ce que
j'ai pu de lui pendant quelques heures.

Heureusement, plus loin dans le voyage,
sa mère, qui avait finalement pu monter
dans le train, m'a retrouvée et m'en a
débarrassée.

Une fois, j'ai convaincu Gisela d'aller danser avec
moi au bal américain. Elle m'a dit: « Ça me
dégoûte d'aller danser chez les Américains. »
Mais elle l'a fait quand même.

En plus de son job de téléphoniste, elle donnait des leçons de mathématiques, de latin et de français aux jeunes du village pour gagner de l'argent. Un de ses élèves était un garçon de quinze ans extrêmement gentil, orphelin de guerre, qui s'appelait CHRISTOPH.

Un soir, il est resté très tard, chez elle, à bavarder après sa leçon. J'étais là. On n'a pas fait attention à l'heure.

A l'époque, il y avait encore un couvre-feu strict, à cause des WEREWOLVES.
C'était des bandes de jeunes Allemands déçus par la défaite de leur pays et qui faisaient du terrorisme.
Ils étaient dangereux et agissaient surtout la nuit.

Christoph habitait dans les bois, chez une tante. Il était un peu jeune pour rentrer seul.

Tu ne veux pas venir avec moi ? On le raccompagne.

D'accord.

Je risquais gros, en tant que soldat, à braver le couvre-feu. Surtout après l'affaire du ski, où j'avais déjà écopé d'une sanction.

On s'est glissé dehors et on a gagné les bois.

On a croisé deux patrouilles américaines. On est passé à travers, ils ne nous ont pas vus.

C'est là que j'ai réalisé combien l'entraînement des Jeunesses hitlériennes était bon, parce que Gisela était superbe, à plat ventre dans les sous-bois. Elle dirigeait carrément la manoeuvre.

On a déposé Christoph et on est retourné par le même chemin. Une fois qu'elle était chez elle, je suis rentré chez moi. HAHAHA! C'est comme ça que j'ai fait des choses qu'aucun soldat ne devrait faire.

Christoph attachait une certaine importance au fait d'avoir un ami américain. J'ai reçu deux lettres de lui, bien plus tard.
La première, avec une photo. Il était devenu serveur dans un hôtel très chic des Alpes suisses, il portait un costume impeccable.

Dans la seconde, il m'a écrit: « Je suis barman international sur un paquebot, je voyage partout. J'ai fait la connaissance des femmes et du whisky, je suis très heureux. »

En 58, à Poitiers, j'ai perdu mon carnet d'adresses. Avec lui, j'ai perdu Christoph.

Un jour, Gisela m'a dit :

Ça y est, j'ai vingt kilos de pommes de terre dans un sac. Je vais faire du stop jusqu'à Heidelberg pour continuer mes études.

Elle est partie.
Les pommes de terre, c'était pour se nourrir pendant quelque temps, parce qu'il n'y avait rien à manger.

La vie était étrange, vous savez.
Et Gisela aussi.

Mi-mars 46, le capitaine qui dirigeait l'administration de notre hôpital m'a annoncé que j'allais être démobilisé et que je pouvais rentrer aux États-Unis. Fin de mon service militaire. Il a ajouté :

J'ai besoin d'un assistant et j'aimerais bien que vous restiez comme employé civil.

C'était nouveau, ça.

Entre-temps, au contact de l'aumônier, j'avais décidé de devenir pasteur. Je me trompais, mais j'étais sincère. Je me suis dit : « Il faut que je rentre en Amérique et que je profite de ma bourse militaire pour aller à l'université. Je dois reprendre la vie normale d'un Américain, me marier avec Patzi, devenir pasteur et sauver les âmes des pécheurs. »

Alors, je lui ai répondu :

Non, je vous remercie, mais je ne peux pas faire ça. Il faut que je rentre.

Une semaine plus tard, le 22 mars, je devais me rendre à BAD TÖLZ, au quartier général, pour recevoir mon certificat de démobilisation. C'était à une vingtaine de kilomètres de Bad Wiessee. Première étape de mon voyage de retour.

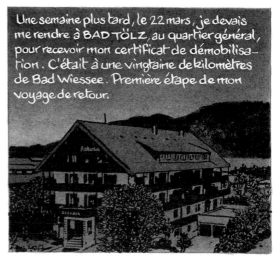

J'avais empaqueté mes affaires, dit au revoir à tout le monde la veille. Vers sept heures du matin, je me suis réveillé dans ma jolie petite chambre que j'aimais tant et j'ai pensé :

Cope, tu fais une connerie.

J'ai téléphoné dare-dare au capitaine.

Est-ce que la proposition que vous m'avez faite tient toujours ? J'ai changé d'idée, j'accepte.

Très bien. Prends une jeep, va à BAD TÖLZ chercher tes papiers et reviens. Je les appelle tout de suite pour qu'ils t'inscrivent comme employé civil.

Voilà. J'ai obtenu un contrat renouvelable de six mois et j'ai bien fait.
On m'a donné cette étrange chose qui s'appelle un uniforme d'employé civil.

Au bout de deux semaines, le capitaine m'a envoyé dans une petite succursale de notre hôpital à SONTHOFEN, tout près d'OBERTSDORF, dans l'ALLGÄU. Un paradis. C'est le point le plus au sud de l'Allemagne.

29

On m'a logé dans un pavillon réquisitionné pour les infirmières et les docteurs de l'hôpital. C'était des gens peu sympas qui me regardaient de haut. Le pasteur non plus n'était pas très bien.

De jeunes chrétiens allemands venaient au service américain le dimanche. Le pasteur a décidé de former une sorte de club pour lequel il fallait élire un chef. On a dû leur expliquer comment procéder. Evidemment, ils n'avaient aucune idée de ce qu'était un vote.

A l'hôpital, j'ai fait connaissance d'un électricien allemand. Un garçon de.... je ne sais pas. Seize ans. Il avait un copain coiffeur, plus jeune, et un autre copain, encore plus jeune. Tous les trois étaient nés dans la vallée et travaillaient pour les Américains.

On est assez vite devenu copains. Un jour, ils m'ont dit :

On va vous amener dans la montagne, si vous voulez.

Ah, ça oui ! Je veux !

Le samedi soir suivant, comme chaque soir, j'ai fermé l'hôpital, dont j'avais toutes les clefs.

Je suis allé dans les cuisines voler du manger. Un peu de viande, une conserve de ceci et de cela. Pas beaucoup, juste de quoi nous nourrir. Je l'aurais bien acheté, mais on ne pouvait pas.

A trois heures du matin, comme prévu, j'ai entendu les trois garçons qui me sifflaient. Je suis sorti par la fenêtre de ma chambre, qui donnait sur les rails du petit chemin de fer de l'Allgäu.

On est parti, dans le noir, vers les montagnes alentour.

Toute cette journée de dimanche, jusqu'à plus de minuit, j'ai fait avec eux des ascensions formidables.
Ils connaissaient parfaitement ces montagnes et m'ont appris à grimper très bien.

On s'est mis à faire ça tous les dimanches. Les infirmières et les docteurs qui habitaient avec moi n'avaient aucune idée d'où j'étais. Je n'allais plus à l'office religieux.
Je disparaissais tout simplement.

Mes copains m'ont amené dans des endroits de toute beauté, très variés. Des petits lacs. Des alpages où les troupeaux vont en trans-humance.

Une fois, on est allé jusqu'à la frontière autrichienne avec quatre vélos qu'ils avaient empruntés, je ne sais où, des vieux vélos sans freins.

L'idée était de descendre certaines routes le plus vite possible. On traînait les chaussures pour ralentir.
C'était effroyable et superbe.

Surtout, ils m'ont appris à descendre une montagne comme une chèvre, à cloche-pied. Une technique remarquable. On peut descendre en vingt minutes ce qu'on monte en trois heures, mais il faut avoir de bonnes chaussures. Des galoches.

Une fois, on a emmené KINNEY avec nous. Vous vous souvenez de KINNEY ? J'en ai déjà parlé. Ce petit gars très gentil à qui j'avais offert ma montre pillée.

On a découvert qu'il avait le vertige. Dans les passages un peu difficiles, il disait : « Oh ! Ce n'est pas possible ! C'est tellement beau ! Je veux y aller ! Je veux y aller ! » et il marchait à quatre pattes.

Pendant de très longues distances, il avançait comme ça. Il était brave ! Parce que grimper à quatre pattes, dans la montagne, ce n'est pas... HAHA !

Presque trente ans plus tard, au début des années soixante-dix, je suis retourné à Sonthofen avec ma femme. Nous habitions l'Allemagne, à l'époque. Avant notre voyage, j'avais fait envoyer par un voisin des petites annonces à insérer dans les journaux de la région, pour essayer de retrouver ces trois gars.
J'aurais tellement voulu les retrouver ! Mais pas moyen. C'est dommage.

J'ai fait un saut une fois à Bad Wiessee pendant mon séjour dans l'Allgäu.
J'ai rendu visite à Gerhart et Vera, qui n'avaient pas le moral. Ils buvaient trop.

J'ai vu aussi la mère de Gisela.

Gisela, ça change. Elle se marie. Je vais vous montrer une photo.

Elle se marie avec ce prince russe qui est à Munich actuellement. Vous les voyez là, tous les deux, avec la suite du prince. Dix-huit personnes.

Ils vont aller habiter en Amérique du Sud. Tenez, je vous la donne. J'en ai d'autres.

Merci.

Depuis, j'ai appris toutes ces histoires de fuite de nazis en Amérique du Sud et je soupçonne qu'elle aidait un nazi à s'échapper. Il pouvait d'ailleurs être un vrai prince russe, car certains ont été très pro-Hitler. La petite photo a été perdue et je le regrette. Je voudrais bien la récupérer pour voir la tête de tout ce monde.

Voilà. Les six mois de mon contrat sont passés vite. Entretemps, j'avais continué à écrire à Patzi et, pour des raisons plutôt religieuses et stupides, on s'est fiancé par lettre. J'ai décidé de rentrer aux États-Unis. J'aurais mieux fait de rester où j'étais. J'étais très heureux et j'aurais pu faire une petite carrière complètement différente.

Je suis repassé une dernière fois par Bad Wiessee avant de quitter l'Allemagne. J'ai salué Gerhart et Vera et leur ai donné mon adresse en Amérique : 733 Highland Street, à Pasadena, Californie, avec promesse d'échanger des nouvelles.

La mère de Gisela, cette fois, m'a remis une carte postale à mon nom, sans enveloppe, visiblement écrite à la hâte et postée à Munich.

C'était la photo d'un aigle avec les ailes étalées, très joli, le genre de truc qu'on trouve dans les zoos et derrière, c'était écrit, en anglais : « Dear Alan,
the eagle has spread its wings.
Gisela »

« L'aigle a ouvert ses ailes. »
Ça lui ressemblait assez et ça voulait dire ce que ça voulait dire :
elle partait pour de bon.

Fin de mon expérience des Alpes.

30

Je suis donc rentré aux États-Unis.
J'ai débarqué à New York, en route
pour la Californie.
Je me suis arrêté chez Lou.
Il habitait le New Jersey,
de l'autre côté de la rivière.
Impensable d'être aussi près de lui
sans aller le voir.

Lou m'a présenté sa famille et sa fiancée.
Sérieusement, il m'a dit :

Reste avec nous. Mon frère et moi, on va
fabriquer des maisons. On pourrait
s'associer et travailler tous les trois.

Peut-être
que j'aurais
dû, qui sait ?
Mais je ne
pense pas.

J'ai fait aussi une halte à Kansas City chez
le pasteur Eliott. Il m'a très gentiment reçu.
Sa femme était là, dont il m'avait dit tant de
bien. Elle avait une quinzaine d'années de
moins que lui. Une vraie beauté. De longs
cheveux noirs. Elle était sobre et digne, mais
on aurait pu la mettre comme pin-up dans un
magazine.

C'est essentiellement lui qui
m'avait inspiré l'idée de devenir
pasteur. Il y a quelque chose
de terriblement fort dans
certaines personnes qui ont
des croyances.

Enfin, je suis arrivé en Californie.

J'ai fait la connaissance de ma fiancée.
Je connaissais très bien Egypte, mais assez peu
Patzi. Les choses n'ont pas mal marché, sauf
qu'Egypte n'aimait pas du tout l'idée que je
me fiance avec sa sœur.

Ce n'était pas par jalousie (elle-même
s'apprêtait à se marier), c'était juste qu'elle
ne m'approuvait pas comme mari pour Patzi.
Elle avait raison, d'ailleurs. Ce n'était pas une
bonne idée.

J'avais une vieille bagnole, une Chevrolet 34, deux places avec rumble seat, retapée
par mon père. J'emmenais Patzi à Santa Barbara pour la journée.
Un peu plus de trois cents kilomètres aller-retour.
On prenait l'ancienne route, EL CAMINO REAL.

Il y avait un endroit où on aimait manger en revenant, une auberge isolée avec un étage,
le restaurant en bas, et un petit parking. L'ensemble était recouvert par UN SEUL CHÊNE,
qui étalait ses branches au-dessus. C'était magnifique.

Je suppose que ça n'existe
plus, mais ça reste dans
ma mémoire.

Une fois, nous avons eu un accident, Patzi, ses parents et moi. C'était son père qui conduisait.

Il a ouvert la portière pour cracher (la voiture était une de ces anciennes LINCOLN où les portes s'ouvraient d'avant en arrière). Le vent l'a surpris et déséquilibré.

Il a lâché le volant et la voiture est partie sur le bas-côté. Il a fait l'erreur de vouloir redresser.

La voiture s'est renversée et a fait des tonneaux.

J'ai heurté le plafond, très fort et plusieurs fois, avec mon visage.

On a tous échoué dans un petit hôpital de campagne, presque un dispensaire. J'avais de nombreuses contusions de la face.

Le lendemain, Patzi et ses parents sont sortis, mais pas moi. Moi, ils m'ont gardé quatre jours, à plat sur le dos, sans oreiller.

Le médecin n'avait pas d'appareil pour me faire une radio et craignait une lésion cérébrale. Je n'en pouvais plus.

Docteur, quand est-ce que je sors ?

Pour l'instant, vous restez en observation.

Vous n'avez que quarante de pouls, ce matin.

Vous pouvez me garder des années, alors. J'ai toujours quarante de pouls, le matin.

Au téléphone, mon père le lui a confirmé et il m'a laissé sortir.

Encore aujourd'hui, j'ai un pouls de marathonien.

J'ai été admis à l'université de REDLANDS, qui est entre Los Angeles et Palm Springs, grâce à ma bourse de combattant. Sans elle, je n'aurais pas eu les moyens de reprendre mes études.
Redlands était une université réputée aux États-Unis pour les gens qui voulaient devenir pasteurs baptistes.

Je rentrais à Pasadena tous les week-ends en voiture et ça me coûtait de l'argent. J'étais vraiment juste juste. Il a fallu que je cherche un travail à côté.

J'ai commencé par aider un garçon riche, qui devait avoir dans les..., bobobom...
douze ans tout au plus, à faire ses devoirs. J'y allais deux fois par semaine et ça ne payait
pas beaucoup. Le pauvre jeune homme était complètement pourri. Il habitait au milieu d'une
énorme orangeraie, propriété de ses parents. La maison était moderne.

Il y avait de belles choses, chez eux, mais tous
les tapis - pour dire à quel point ils étaient
bêtement nouveaux riches - étaient très épais
et BLANCS comme neige. Et quand je dis
blanc, je veux dire blanc. Blanc PERSIL.
Évidemment, il y avait une bonne qui passait
ses journées à les nettoyer.

Mon petit élève n'avait pas une chambre, il
avait une suite. D'abord une sorte de salon,
puis un bureau, puis sa chambre, avec une salle
de bains et un petit atelier de bricolage
attenants. Il souffrait de tous les complexes
qu'on peut imaginer, il n'était d'ailleurs pas
coopératif du tout, c'était vraiment un cas.

Je me suis vite rendu compte que je ne pouvais
pas faire grand-chose pour lui, parce qu'il
n'avait pas envie qu'on fasse quelque chose
pour lui, et comme je gagnais très peu, j'ai
laissé tomber.

J'ai passé le gamin à un autre étudiant, qui
m'a dit un peu plus tard :

Je l'assomme et je commence à avoir un
peu de résultats. Mais vraiment, il est
terrible. Il faut le traiter dur.

J'ai trouvé un autre travail, dans une maison de quartier tenue par un pasteur. La maison consistait en deux pièces et un petit terrain de jeu derrière pour les Mexicains pauvres du coin.

Il n'y avait rien, là-dedans, quelques bancs et une table nue. Heureusement, en Californie, il fait presque toujours beau. Les gosses pouvaient jouer dehors avec un ballon de soccer ball et des fers à cheval.

Le pasteur était un homme sans aucun intérêt, qui ne savait pas du tout s'y prendre avec les enfants, parce qu'il n'aimait pas s'en occuper. Le bon Dieu s'était trompé en désignant cet homme pour être pasteur. Sans doute savait-il prier, mais c'était tout.

J'allais de temps en temps à ce local au cours de la semaine et je l'ouvrais pendant une heure. Six ou sept jeunes Mexicains venaient, pas plus. Quatre étaient vraiment réguliers.

Je me suis dit : « Il faut leur faire faire quelque chose, quand même. » J'ai proposé un truc à la bande des quatre.

J'ai une voiture. Je vais vous emmener dans la montagne faire un HIKE.

Une randonnée, quoi.

Ah ben alors là, ça, ça leur plaisait.

Apportez un sandwich, si vous pouvez. Je m'arrangerai pour en trouver un peu aussi. Et surtout, demandez l'autorisation de vos parents.

Nos parents se fichent pas mal de ce qu'on fait.

On est parti un samedi matin. J'en avais un à côté de moi et trois autres derrière, dans le rumble seat.

Je les ai emmenés dans un endroit très sauvage, une minuscule route que j'ai découverte, comme ça, par hasard.

Ils étaient évidemment très peu disciplinés, il fallait que je les tienne à tout instant, mais ça s'est bien passé. On a escaladé des ravins, grimpé dans les arbres. J'ai pris des photos.

Ils sont revenus enchantés et nous avons établi de très bons rapports.
Plus tard, quand je suis retourné en Europe, le plus grand d'entre eux m'a écrit.
Il me disait toujours combien cette journée avait été mémorable pour lui.
Il s'appelait TONY.

225

J'ai eu quelques bons amis à Redlands. Il y avait FLINT, par exemple.

Flint était très religieux. Il se faisait de la bile parce qu'il était pauvre. Il a eu subitement une dépression nerveuse. C'était la première fois de ma vie que je rencontrais une dépression nerveuse. On l'a mis au repos dans la clinique de l'université.

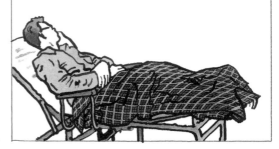

Un jour, il m'a présenté LANDIS.
Landis, c'était tout le contraire de Flint.
Il avait de l'argent, une bonne petite voiture à lui, et son père lui louait une chambre en ville, confortable, avec une entrée privée.
Il était de quatre ans mon cadet, autant dire qu'il n'avait pas été soldat, il avait échappé à la guerre.

Landis était très lippu, mais ça lui allait bien, son visage le supportait. Il n'avait pas de copine. Il racontait qu'une nymphomane courait après lui et qu'il ne pouvait pas s'en débarrasser. C'était assez amusant.
Je l'aimais beaucoup. Il DÉTESTAIT la religion. Il ne pouvait pas comprendre pourquoi moi je voulais être pasteur. Du coup, on ne parlait pratiquement pas de religion.
Il était assez intellectuel, très agréable, pas du tout violent, il faisait partie de ces gens qui ne font pas de mal.
Il écoutait de la musique baroque. Il était poète.
Quand je dis qu'il était poète, je veux dire qu'il écrivait très bien et voulait devenir écrivain.

A côté de ce qu'on appelle les « humanités », qui étaient notre matière principale, il prenait des cours optionnels comme « creative writing » ou « psychologie ». Moi aussi, je faisais psychologie.

Une matière que j'avalais, mais dont je ne connaissais rien, c'était la poésie américaine et britannique. Il m'a beaucoup appris à ce sujet. J'ai encore une anthologie de poètes modernes anglais dont il a biffé l'index en disant :

Tu peux lire ça, c'est bon.

Ça, c'est bon.

Ça, c'est bon.

Je me souviens qu'un de ses poètes américains préférés était E.E. Cummings.

Un jour, un chapiteau s'est monté où des pasteurs ont tenu un grand meeting chrétien de l'ancien genre. L'allée centrale était couverte de sciure de bois et les gens allaient jusqu'à l'autel, offrir leur âme à Dieu en disant « je crois », et cette sorte de choses.

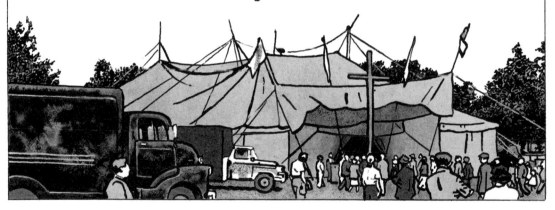

C'était très dramatique et au fond, je prenais ça au sérieux, tout en n'aimant pas tellement l'ostentation. J'avais amené Landis parce que je voulais qu'il voie cette chose curieuse.

Eh bien lui, qui était pourtant un garçon poli, il a pouffé de rire sans arrêt.

J'ai passé un week-end dans sa famille, à CORONADO, dans la baie de SAN DIEGO, juste au nord de la frontière mexicaine. Là, n'habitait que l'argent. Son père était déjà en retraite. Il avait été, tenez-vous bien, capitaine de vaisseau. Un grade très élevé. Ça équivaut à un général dans l'armée de terre. Ils avaient du fric.

J'ai logé dans une maison d'amis, dans le jardin. J'avais une chambre, une salle de bains, des waters, un salon, et même un bureau avec tout ce qu'il fallait pour écrire, papier à lettres, enveloppes, timbres... Landis m'a dit : « Papa aime bien que ses invités aient absolument tout dans la maison des amis. »

Le soir, devant la cheminée, nous avons bu quelque chose avant le repas. Le père était très sympa, très bien. Moi qui sortais tout juste de trois ans d'armée, je le regardais avec beaucoup de déférence. A un moment, Landis a demandé :

Papa, tu devrais chanter une chanson pour Alan.

Ah oui, si tu veux. Laquelle ?

Le téléphone.

Alors il s'est levé et il a chanté pour moi :

I just called up to tell you that I'm ragged but right
A thievin' gamblin' woman and I'm drunk ev'ry night

I eat a porterhouse steak three times a day for my board
More than any self-respected gal can afford

Au début du deuxième semestre, l'université de STANFORD, à PALO ALTO, un peu au sud de SAN FRANCISCO, a annoncé le lancement d'un programme spécial. C'était destiné aux élèves qui voulaient étudier à fond l'enseignement de Jésus pour le mettre en application socialement. Les gens qui menaient ça avaient l'air intéressant et le lieu aussi : les forêts côtières de séquoias entre San Francisco et BIG SUR.

31

On ne peut pas imaginer l'effet produit par ces forêts de séquoias qui poussent sur les côtes de Californie tant qu'on ne les a pas vues. Les photos ne disent rien. Ce sont des arbres vraiment géants. On est sur une autre planète.

Le groupe était constitué d'une trentaine de personnes. Le séminaire valait le coup, il faisait réfléchir. Les discussions étaient bonnes. Je me souviens de l'une d'elles, sur le thème : « A l'idée que la fin justifie les moyens, il faut substituer : les moyens déterminent la fin. »

Nous pratiquions des danses libres. C'est très agréable et, en groupe et dans un tel décor, tout à fait étonnant.

Parfois, je jouais de l'harmonium.

Le sous-bois était très vert. Ce qu'on appelle, en anglais, « LUSH ». Les fougères étaient si hautes qu'on marchait dessous.

Pendant les heures de liberté, je me promenais assez loin, tout seul dans la forêt. Je levais sans arrêt la tête et je ne voyais jamais la fin de ces arbres. C'était merveilleux.

Un jour, j'ai trouvé une chose inhabituelle :
deux alignements de quatre séquoias,
en ligne droite et parfaitement parallèles.
C'était un accident, ces forêts ne sont pas
plantées. La ligne droite est un phénomène
très rare, dans la nature.

Si j'y repense, ça ressemblait à ces temples
égyptiens avec des colonnes géantes.
Mais comme j'étais moins égyptien que
chrétien, à l'époque, j'ai appelé cet endroit
« la cathédrale ».
J'y ai emmené quelques amis du groupe.

Nous sommes aussi allés jusqu'à BIG SUR, une fois, voir l'océan.

Berkeley n'était pas loin du lieu de notre séminaire. J'ai demandé l'autorisation de rendre visite à Landis. On me l'a accordée. Ma vieille bagnole est arrivée là-haut sans problème. Il m'a fallu une heure.

J'ai retrouvé Landis dans un foyer d'étudiants. Il était content de me voir. Ses compagnons voulaient savoir ce que je faisais dans les séquoias, je le leur ai dit, ils ont trouvé que c'était ridicule.

Nous sommes allés dans la maison où Landis habitait, sur le campus, appuyée à un petit garage. On a discuté tout l'après-midi sur le toit de ce garage, allongés au soleil sur un vieux matelas, comme à la plage.

Je suis rentré le soir dans mes séquoias. Je dois dire qu'à force de penser, je commençais à me poser de sérieuses questions sur ce que j'étais en train de faire.

Voilà qu'un matin, arrive une lettre de Gerhart et Vera. A mon grand étonnement, postée à Pasadena. La dernière lettre que j'avais reçue d'eux venait d'Allemagne.

Entretemps, ils avaient compris que Gerhart ne trouverait pas de travail en Allemagne comme musicien. A l'invitation de la famille de Vera, ils ont fait le voyage jusqu'à BOSTON.

La famille a voulu que Gerhart se débrouille à l'américaine, c'est-à-dire qu'il joue dans les bars des clubs chics. Pourquoi pas ? Mais lui, il a dit :

Non, je ne ferai pas ça. Ce n'est pas mon genre. Je suis un pianiste classique, c'est tout.

Il était très déprimé, Vera aussi. La famille les a envoyés chez un psychiatre. Après examen, le psychiatre a dit à la famille :

C'est très simple. Fichez la paix à ces gens. Donnez-leur quatre cents dollars, un billet d'avion pour où ils veulent et dites leur au revoir.

Gerhart et Vera se sont demandé : « Où va-t-on aller ? On va aller à Pasadena, c'est là qu'habite Alan. » Ils ont débarqué à l'aéroport de Los Angeles, puis chez moi, où je n'étais pas. Mon père leur a expliqué que j'étais au nord, dans les séquoias, et ce que j'y faisais.

Et donc, voilà, ils m'ont écrit.

La seconde partie de la lettre changeait de ton.
Gerhart disait carrément :
« Alan, tu fais une erreur. »
Il essayait de me dissuader de suivre la voie que j'avais choisie, parce qu'il était très antichrétien.
Il n'était pas contre Jésus, seulement, il ne pensait pas que Jésus était le fils de Dieu. Et de toute manière, selon lui, ce n'était pas comme ça qu'il fallait comprendre et pratiquer la religion.

Ses arguments faisaient écho à mes discussions avec Landis et se mariaient avec les doutes que je commençais à avoir. J'ai répondu. Il m'a renvoyé plusieurs lettres dans les semaines qui ont suivi.

Un beau matin, je me suis réveillé hérétique.

Le jour même, en pleine conférence entre nous trente, je me suis levé et j'ai dit :

Je ne suis plus d'accord. Je crois que tout ceci est faux. Ce n'est pas comme ça qu'il faut voir l'existence, ni la spiritualité. Je m'en vais.

J'ai salué tout le monde, rassemblé mes affaires, pris ma voiture et je suis parti.

234

32

Gerhart et Vera s'étaient installés à Pasadena. Il jouait de l'orgue dans les églises, pour vivre, mais ça heurtait ses convictions et il ne comprenait rien à la liturgie américaine.

Vera vendait du lait au porte-à-porte.

Patzi, pendant ce temps, a décidé que je n'étais pas capable de l'aimer et a rompu nos fiançailles. Elle avait raison. Elle a rencontré assez vite un autre garçon.

Tout cela s'est fait sans fâcherie, d'ailleurs. J'ai assisté au mariage d'Egypte comme si j'étais un membre de la famille. Et même à sa répétition. A l'époque, on répétait intégralement la journée de mariage, en costumes, avant qu'elle ait lieu.

Je n'ai pas repris mes études à Redlands. Je me suis rendu compte que ce que je voulais, c'était l'Europe. Je n'aimais plus l'Amérique. Je n'aimais plus la vie de l'Amérique. J'aimais le pays, la terre, les gens, mais je n'aimais plus la mentalité. Elle a beaucoup de bon, pourtant, la mentalité américaine, mais il lui manque le fond de l'existence. Et c'est pour ça que, sous certains aspects, l'Amérique va si mal. La plupart des Américains vivent sur la surface de l'existence, moi, je voulais vivre sur le fond. Je ne sais pas si ça vous dit quelque chose, mais c'est ce que je pensais sincèrement.

L'idée, désormais, était d'accumuler assez d'argent
pour me payer le voyage jusqu'en France.
Pourquoi la France ?
Je ne l'ai pas raconté, parce que ça concerne ma vie
d'adulte et que nous parlerons très peu de ma vie
d'adulte, mais je dois tout de même dire, pour la
simple compréhension des choses, que lors de mon
débarquement, début 45, j'avais rencontré une
jeune Française. Le premier avril, exactement.
Vous dites « poisson d'avril », nous disons « april
fools' day ». Elle portait un petit manteau de pluie.
Elle était adorable. Je l'avais même revue lors d'un court
voyage à Paris, en permission, pendant que j'étais à
Bad Wiessee.
Après ma rupture avec Patzi, je lui ai écrit quelques lettres,
traduites par Gerhart. Il me traduisait aussi les réponses,
parce que je ne parlais pas un mot de français, à l'époque,
ni elle un mot d'anglais.
Bref, il a été convenu que j'allais la rejoindre et qu'elle
m'attendrait pour commencer une nouvelle vie en France.

J'ai trouvé du travail dans un hôpital municipal de Pasadena. Il était assez facile de devenir aide-infirmier, en ce temps-là. Un infirmier m'a rapidement appris les différentes choses que je devais faire.

Les patients hommes et femmes étaient séparés, je m'occupais donc uniquement des êtres humains mâles, à de très rares exceptions près.
Je mentionne en passant que ce travail était fort intéressant.

J'ai appris à sonder les malades, à leur donner le bain dans le lit. On maintenait les gens en situation postopératoire au lit. Aujourd'hui, on les fout dehors très rapidement.

Je m'occupais de personnes gravement malades, j'en ai vu mourir beaucoup. Si je travaillais de nuit, je transportais souvent les cadavres à la morgue, au sous-sol de l'hôpital et je les mettais dans leur tiroir réfrigéré. Il fallait les préparer pour qu'ils ne « fuient » pas, etc.

Aux heures calmes de la nuit, en équipe, on nettoyait des milliers d'aiguilles, parce qu'à l'époque, on récupérait les aiguilles des piqûres. Ensuite, on les affûtait bien et, comme des tas d'autres choses, elles passaient à l'autoclave.

Assez dit de cela.

Gerhart et Vera louaient une toute petite maison dans l'entrée de laquelle il y avait un piano. Gerhart pouvait composer. Vera était passée chef d'équipe des vendeurs de lait et il fallait qu'elle remonte le moral de tout le monde. C'était une étrange situation, pour des gens qui avaient fréquenté Thomas MANN, Paul KLEE, Ezra POUND ou COCTEAU.

Gerhart a rencontré une danseuse expressionniste à Hollywood. Ils ont monté ensemble un spectacle dans un petit théâtre de rien du tout. Je l'ai vu, c'était très bon.

Quand le spectacle s'est arrêté, il est allé au bureau de ce théâtre pour récupérer son dû, mais le bureau était vide. Les patrons avaient disparu avec la caisse.

Il les a retrouvés. Ils lui ont dit très franchement :

On fait ça tout le temps.

Gerhart a rigolé, il a répondu :

C'est pas bien.

Il ne pouvait rien faire.

238

Beaucoup d'artistes que Gerhart avait connus en Europe s'étaient réfugiés en Californie pendant la guerre et avaient réussi. Mon père nous prêtait sa voiture et on allait leur rendre visite à Beverly Hills ou Hollywood.

Je me souviens d'une très vieille femme, je ne sais pas comment elle s'appelait, qui avait son portrait par Salvador DALi dans l'entrée de sa maison.

Je me souviens aussi d'un couple qui habitait une villa extraordinaire dans les collines au-dessus d'Hollywood, vers le Griffith Observatory, le fameux planétarium de James DEAN. On entrait par le haut, parce qu'elle était construite sur une pente très abrupte. Il y avait deux étages de baies à travers lesquelles on voyait tout Los Angeles. Le smog commençait, à l'époque, mais ce n'était pas trop gênant. Cinquante kilomètres de lumières à nos pieds, ça faisait impression.
Je découvrais ces lieux archiluxueux et modernes avec encore, dans mes yeux, les images de l'Europe en guerre et ça me troublait.

Un autre couple louait une maison en pleine nature, au pied des contreforts de la Sierra Nevada, dans un bois de chênes verts. On est allé dîner chez eux, un soir.

La maison était superbe. Il n'y avait rien autour, que les bois, la montagne et une pelouse devant.

Les terrains californiens, à l'époque, pouvaient être immenses.

On a mangé sur une grande terrasse. Chacun était assis dans un fauteuil, genre château médiéval français, capitonné cuir, avec un grand dossier qui montait plus haut que la tête.

Notre hôte a dit :

Vous allez voir, à la tombée de la nuit, quelque chose d'extraordinaire. Je ne vous dis pas quoi, ce sera une surprise.

On a terminé de manger. On a pris le dessert et tout le bazar. C'était le crépuscule avancé.

Bon. C'est l'heure, maintenant.

Sont arrivés de petits renards qui venaient de la montagne. Trois ou quatre.

Ils ont joué carrément comme des gosses sur la pelouse.

Après avoir joué, ils se sont approchés et ils sont venus sur la terrasse.

Ne dites rien. Ne respirez pas. Restez silencieux.

Les petits renards ont tourné autour de la table, derrière nos fauteuils. Ils voulaient les restes qui étaient sur la table, n'est-ce-pas ?

Après, ils ont grimpé sur nos grands dossiers et ils ont fait le tour de la table — ils ont un bon équilibre — en sautant de fauteuil en fauteuil.

Vous voyez l'image? Extraordinaire. C'était pour nous essayer.

Quand ils ont vu que tout marchait bien, ils sont descendus sur la table et ont mangé ce qu'il y avait.

On est resté une bonne heure à ne pas bouger pendant ce scénario. Et puis ils sont partis.

Tous les soirs, c'est comme ça, sauf qu'ils ne peuvent pas faire le tour de la table parce qu'il n'y a pas assez de gens.

Si on est tous les deux, ils vont d'un fauteuil à l'autre jusqu'à ce qu'ils osent descendre.

Ils ne sont pas apprivoisés. C'est seulement qu'aucun homme ne leur a jamais fait de mal.

Vous pouvez ne pas me croire, mais ça s'est passé exactement comme je l'ai dit.

33

Une fois, nous avons fait un voyage important.
J'ai parlé des séquoias des forêts côtières.
En fait, ce ne sont pas les plus volumineux qu'on puisse trouver en Californie.
Les plus massifs et les plus vieux poussent dans la Sierra Nevada.
Gerhart et Vera ont voulu les voir. Ils avaient raison.
Ils aimaient ce qu'il faut aimer.
Gerhart a dit qu'il prendrait en charge l'essence et tous les frais du voyage.
Ce n'était pas rien, pour lui qui était complètement fauché.
Il a convaincu mon père de nous prêter sa voiture plusieurs jours.
On est parti.

Ils ont voulu passer par le désert.
A vrai dire, ce n'était pas la plus belle portion
du désert. On aurait mieux fait de prendre
par la côte, ça aurait été plus joli.

Je me souviens d'un petit restaurant mexicain au bord de la route, bien propre, qui servait des mets très épicés. C'est là que j'ai compris l'intérêt de manger épicé dans ces pays où on crève de chaud.

Quand on sue normalement, dans une chaleur pareille, on sait à peine qu'on sue, parce que ça s'évapore tout de suite. Mais nous, à la fin du repas, on avait le visage et le corps couverts d'un voile de sueur uniforme, léger et qui a duré un certain temps.

Du coup, le moindre souffle d'air là-dessus devenait rafraîchissant.

243

Plus tard, on a traversé des régions agricoles avec de très vastes champs, jusqu'à ce qu'on arrive au pied de la montagne où se trouve le SEQUOIA PARK.

L'arrivée par cette route est assez surprenante. Pendant un certain temps, on a grimpé en se demandant : « Mais où sont ces grands arbres ? »

Subitement, dans un virage, loin, sortant du flanc de la montagne, on a vu un arbre, mais alors quel arbre ! En tenant compte de la distance et de la forêt qui l'entourait, il semblait énorme.

Des troncs fabuleux sont apparus de chaque côté de la route. On s'extasiait.

J'ai arrêté l'auto à un bureau d'accueil des touristes. Ils proposaient des cabanes à louer pour la nuit. C'était parfait pour nous, qui ne pouvions pas nous offrir d'hôtel.

Notre cabane était très rudimentaire. Toute en rondins de bois, avec sept chambres côte à côte et une petite cuisine où on pouvait mettre un réchaud, mais nous n'en avions pas. Des planches en guise de lits, une paillasse sale comme matelas. On avait apporté des couvertures.

Une petite épicerie nous a fourni une popote froide, simple et rapide. On avait hâte de s'enfoncer dans la forêt.

On a pris un sentier à pied. J'étais étonné qu'il y ait si peu de monde. De loin en loin, un homme seul. Un couple. Presque personne.

On s'est rendu compte qu'on était suivi par des biches.

Elles sont venues tout près. Des faons trottaient à côté d'elles. Les yeux des biches, quand elles n'ont pas peur, c'est absolument extraordinaire. On avait l'impression d'être une autre sorte d'animal qu'elles ne craignaient pas.

Des pancartes indiquaient :

GENERAL SHERMAN ➤

C'est le nom qu'on a donné au plus gros des séquoias,
au plus gros des êtres vivants de la terre, d'après un
général de la guerre de Sécession. On a appelé un tank
aussi comme ça. Je veux bien. C'était sûrement
un bon général, mais c'est un peu dommage pour l'arbre.

J'avais lu des choses sur cet
arbre, avant de le rencontrer.
A l'époque, il approchait des
quatre-vingts mètres de haut.
Il a dû continuer à grandir,
puisqu'il vit toujours.
Il faisait une dizaine de mètres
de diamètre et vingt-cinq de
circonférence. On lui donnait
cinq mille ans. Entre temps,
il paraît qu'on lui en a enlevé
la moitié. Tant mieux pour lui.

On avançait à travers toutes sortes de grands arbres,
en guettant son apparition. Le sous-bois était beaucoup
plus nu et sec que celui des forêts côtières.

Tout à coup, on s'est retrouvé face à lui.

Il faut dire une chose,
c'est que cet arbre,
on ne peut pas l'imaginer
tant qu'on ne l'a pas vu
et on ne peut pas le comprendre
quand on le voit.
On le ressent, c'est tout.
D'ailleurs, on ne le voyait pas
vraiment.
Si on prenait du recul,
la forêt le masquait.
Si on levait les yeux,
sa tête se perdait
dans un fouillis de branches.
On ne voyait que son tronc.
Son tronc gigantesque
et terrible.
Avec cette écorce rouge,
épaisse, toute déchirée.

Conversation with a Giant Sequoia Redwood

Journey, swooping up from a white heat-frozen desert.
Mountain heights tempered in pure blue respiration,
Aflame throughout four rust-red centuries.
Sequoia is an Indian name.

The legend; where is it?
Who has seen you?
The fawn
The snake
Fires.
Count back to The Tree
Where your time begins,
Double that
And my mother tossed a pinion,
Whirling in the air —
I have no legends!

I am the last of a long line of arrows
That strayed from Apollo
Or a post that held up the earth.
While Jehovah was painting it
Or the mast of a sailing moon
Stranded on a voyage from Mars.

Do not look at me too long — it is dangerous.
(Why have I disturbed this peace?)
Go back to your city
Your legends
And Time!'

California, 1998

On a suivi une piste, ensuite.
Longtemps. Très petite piste.
Il n'y avait plus âme qui vive.

Au bout, nous avons contourné
un grand rocher.

Par-delà, le sol était
uniquement rocailleux et la
piste longeait un garde-fou
en métal.

Arrivée au garde-fou, Vera a poussé un cri effroyable.

Elle s'est retournée d'un bloc
et a détalé vers le rocher.

249

Le garde-fou donnait sur un à-pic de mille pieds (c'était marqué), à peu près trois cents mètres.

Vera s'était réfugiée, toute tremblante, derrière le rocher. Elle l'étreignait.

Ce n'est pas possible. Je ne peux pas regarder ça.

On va retourner en arrière, alors.

Ah non, certainement pas ! Continuez !

Je vais rester ici, à l'abri. Je serai bien, je ne m'ennuierai pas. Je vais réfléchir.

C'est vrai, elle va rester. Elle en est capable.

On a laissé Vera derrière son rocher et repris la piste, si on peut l'appeler ainsi. Ça devenait dangereux.

Je ne savais pas que Gerhart avait un excellent équilibre. Je m'en suis aperçu. Il avait vingt ans de plus que moi, et c'était un homme qui pouvait sembler délicat. A vrai dire, il ne l'était pas. S'il vous donnait une bonne poignée de main, avec sa force de pianiste, il vous broyait la main comme rien.

Nous avons dû passer un endroit très difficile, une sorte d'éventail alluvial en graviers, sur une pente raide. Un faux pas et on s'écrasait en bas, sans rien pour se rattraper.

Il y avait un chemin étroit, tracé par des animaux. A peine la largeur d'un pied.

Fais de tout petits pas. N'essaie pas de mettre un pied devant l'autre, avances-en un et ramène celui de derrière. Et ne regarde rien d'autre que l'endroit où tu les poses.

D'accord.

J'avais appris ça dans les Alpes.

Après un temps qui a paru long, la piste a repris. Toujours dangereuse, mais pas autant.

Enfin, nous sommes arrivés à un adorable petit lac, couleur turquoise.

Il faut absolument qu'on se baigne.

Je ne sais pas. L'eau doit être très froide.

Trouver un lac aussi beau et ne pas se mêler avec, c'est impossible. Reste là si tu veux, moi, je vais nager.

Bon. Moi aussi.

Nous nous sommes déshabillés, sauf les slips. Au fond, c'était bête, ils allaient rester mouillés, mais Gerhart était assez prude.

Nous avons traversé le lac à la nage, aller-retour. Il était peu profond et l'eau, glaciale.

Ensuite, on a rebroussé chemin.
L'effort nous a séchés.

Nous avons retrouvé Vera, qui a beaucoup
aimé l'histoire du petit lac.
Nous sommes rentrés au camp.

J'ai dit que Gerhart n'était pas beau.
Il avait le nez de travers, et je ne lui
ai jamais demandé dans quelles
circonstances son nez s'était trouvé
poussé du côté droit. Il était peut-être
né comme ça. J'aurais dû lui demander,
c'est un tort de ma part.
Quand j'étais jeune, j'étais bourré
de torts.

Vera n'était pas belle non plus.
Mais je l'ai trouvée belle, comme j'ai trouvé
d'autres femmes belles dans ma vie,
ma grand-mère Cope, Martha et quelques
autres qui, je le savais, n'étaient pas belles.
Vera avait une beauté qui m'attirait et qui
venait certainement de l'âme, quelle que
soit la façon dont on définit ce mot.
C'est une chose beaucoup plus profonde
que le caractère ou le sang, chez une
personne. Et ça la rend belle. Il y a des gens
qui sont jolis et qui pourtant ont une beauté
qui ne vous frappe pas, ou d'une façon
très superficielle.

Le lendemain matin, nous avons été réveillés aux petites heures par des bruits qui venaient du dehors.

Dans l'allée qui longeait notre cabane, il y avait un certain nombre de poubelles. Des ours les fouillaient avec leurs pattes et leurs museaux.

Le gars du bureau d'accueil nous avait prévenus et avertis qu'on pouvait sortir tout doucement, mais sans nous approcher d'eux. Ils ne nous feraient rien si on les laissait tranquilles. On est donc sorti et resté à distance.

C'était vraiment intéressant de les voir à l'œuvre.

Plus tard, au vrai lever du jour, les gens alentour ont commencé à faire du bruit et les ours sont partis.

Voilà. C'était l'essentiel de notre voyage pour voir les grands séquoias. Le retour a été assez long, assez chaud, assez fatigant. Il n'y avait pas grand-chose à faire, sauf rouler.

34

Avant de quitter les Etats-Unis, je voudrais évoquer BENNER. Un ami commun d'Egypte et de moi.

Ben était un type assez timide et secret. Il était intelligent, mais il a été infoutu d'avoir son bac. En fait, il découvrait son homosexualité. Il n'avait jamais fait l'amour, ni rien, mais il se savait homosexuel et ça le désemparait.

Je l'ai fréquenté beaucoup, à ce moment-là. Il était solitaire, mais moi, il voulait bien me voir. Il était fou de films et d'acteurs. Alors, souvent, il me proposait d'aller au cinéma à Hollywood.

On empruntait la voiture de ses parents, que je conduisais.

Un soir, il m'a demandé de l'embrasser, pour voir ce que ça lui ferait. Et j'ai dit non.

Ça nous a séparés. Je le regrette. Aujourd'hui, je le regrette.

Quand j'ai retrouvé la trace d'Égypte, bien des années plus tard, presque trente ans, je lui ai écrit :
« J'ai essayé de contacter Ben et je n'y arrive pas. Est-ce que tu peux me dire ce qu'il devient ? »
Elle m'a répondu seulement : « N'essaie pas de contacter Ben, c'est inutile. Et n'en parlons pas,
je ne peux pas en parler. » Alors, j'ai insisté et finalement, c'est le mari d'Égypte qui m'a répondu
en rajoutant un mot en bas d'une lettre : « Ben est mort il y a longtemps, maintenant. »

Ben était mort à trente-sept ans, à Mexico City.
Il dirigeait au Mexique une grande marque américaine de produits de beauté.
Il s'était mis à boire énormément, paraît-il, et il a fait une embolie cérébrale.

Et on ne sait pas si un geste n'aurait pas pu changer son destin.

35

Enfin, j'ai réuni assez d'argent pour m'acheter un billet sur le transatlantique « United States ». Gerhart m'a écrit quelques lettres d'introduction auprès d'amis en France, en particulier Fernand Crommelynck, j'ai salué mon monde et je suis parti.

A New York, c'était la grève des dockers. Je me suis retrouvé coincé avec très peu d'argent, une énorme malle et un bagage à main.

J'ai téléphoné à Lou.

La grève a duré un mois. Lou m'a hébergé. Il habitait chez ses beaux-parents avec sa femme, enceinte. Je me souviens que, sur la table de la cuisine, elle faisait ses propres raviolis.

Un jour, j'ai tout de même embarqué sur cet immense paquebot.

J'étais en troisième classe, évidemment. La vraie troisième classe.

J'ai fait connaissance d'une Anglaise, là, qui venait de rompre ses fiançailles avec un Américain et qui retournait en Angleterre. Ça n'avait pas marché, à cause du type, et surtout à cause de la belle-famille.

Elle était assez extravagante et sympa, cette Anglaise. On prenait nos repas ensemble. Ils étaient compris dans le prix de la traversée.

Le deuxième jour, elle m'a dit :

Mais Alan, tu ne me paies pas une bière ou quelque chose ? Est-ce que tu es complètement fauché ?

Pour ça oui, j'étais fauché. Je ne pouvais lui offrir que des cigarettes. J'en avais une cartouche.

Il me reste des dollars. Je n'en aurai rien à faire chez moi, alors je vais te les donner. Tu diras à tes parents de m'envoyer des choses que je ne trouverai pas en Angleterre.

Elle m'a écrit une liste que, plus tard, j'ai envoyée à Caroline, ma belle-mère, qui s'est demandé quel genre de femme j'avais rencontré. Elle voulait, par exemple, de la lingerie violette et des bas verts. Je n'ai pas oublié ça.

Les classes, sur le paquebot, correspondaient à des ponts différents et étaient complètement isolées. Pas question pour un passager de troisième classe d'aller en première, ni même en seconde. Il y avait des systèmes d'ascenseurs privés.

Les premières classes avaient de grandes distractions, tous les soirs, en seconde, il y avait des bals et en troisième, rien du tout. Mais l'Anglaise voulait danser.

Sur une portion de notre pont assez tranquille et retirée, nous avions trouvé ce genre de petite échelle qui s'accroche au bastingage.

Le soir, on s'habillait de notre mieux, moi j'avais mon unique costume et elle une bonne robe, on plaçait l'échelle et on se risquait à grimper d'un pont à l'autre au-dessus de la mer, qui était calme.

Et puis, on allait danser.

Une fois, il y a eu ce jeu où la musique s'arrête brusquement et il faut rester en position, vous savez ? On faisait ça très bien et, peu à peu, les autres danseurs disparaissaient autour de nous, éliminés.

Quand il n'est plus resté que trois couples, je lui ai dit :

Qu'est-ce qu'on fait ? On risque de gagner, si on continue !

Bah, on verra bien !

Et en effet, on a gagné ! Une bouteille de champagne. Elle était bienvenue, parce que moi je ne buvais pas pendant ces soirées, ou guère plus d'une bière, quoi.

On a bu notre champagne et on a filé par où on était venu. Mais on n'a jamais osé revenir.

36

J'ai donc débarqué en France et je suis allé vivre à Paris, dans la famille de ma future femme.

Grâce à ma bourse d'études, je me suis inscrit à un cours pour apprendre le Français. Je me déplaçais sur une bicyclette achetée d'occase.

Je l'ai conservée quarante-cinq ans, jusqu'à ce qu'on me la vole, ici, il y a deux étés.

Quand j'ai commencé à me débrouiller en français, je suis entré à l'École des métiers d'art, rue de Thorigny, dans le Marais. Là où il y a le musée Picasso, maintenant.

Je voulais faire de la céramique. J'avais eu cette idée bien avant guerre et j'avais commencé à apprendre, en Amérique, le travail de l'argile. J'aimais ça. Je voulais devenir potier.

L'école était bonne. Je me suis fait un vrai ami, Pierre Lèbe, un gars du Lot. Très talentueux.

J'ai décidé qu'il était temps d'aller voir Crommelynck. Il habitait à la Patte-d'Oie d'Herblay, au nord-ouest de Paris.
Pas la porte à côté, à vélo.

Je l'ai eu au téléphone et il m'a invité à déjeuner. Il avait déjà reçu un mot de Gerhart qui lui parlait de moi. J'ai tout de même cherché ma lettre de recommandation, mais, à ma grande surprise, je ne l'ai pas trouvée. Je la tenais pourtant soigneusement dans mes affaires.

Le jour dit, je suis parti avec un short bavarois. C'était l'été.

Crommelynck m'a accueilli très gentiment. Il habitait avec sa première femme, dont il s'était séparé un temps, mais avec laquelle il était revenu. J'ai baragouiné dans mon mauvais français. Il a dû avoir une étrange opinion de moi. J'étais un peu foufou.

Plus tard, ma fiancée m'a avoué qu'elle avait trouvé la lettre de Gerhart, l'avait lue et jetée au feu. Gerhart y demandait à Crommelynck de me dissuader de notre mariage.

J'en ai voulu à Gerhart. Il m'a écrit quelque temps après pour m'informer que, décidément, Vera et lui n'arrivaient pas à gagner leur vie à Pasadena et qu'ils avaient demandé refuge à Henry MILLER, dans sa maison de Big Sur. Gerhart connaissait Miller depuis l'avant-guerre, à Paris.

Plus tard, en 53, j'ai voulu rompre le silence. J'habitais le Berry, à l'époque. Je me suis demandé comment contacter Gerhart. Je me doutais qu'il ne serait plus à Big Sur, mais j'ai tout de même écrit à Miller pour qu'il me dise comment le joindre.

Miller m'a répondu sur ces « postcards » à un penny, où on met l'adresse d'un côté, le message de l'autre et qu'on glisse dans la boîte. Il ne roulait pas sur l'or, à l'époque. Selon lui, Gerhart et Vera étaient au Mexique. Où exactement ? Il n'en savait rien. Il me conseillait de lire « Plexus », qui venait de sortir.

Henry Miller
Big Sur
California

UNITED STATES POSTAGE
1 CENT 1

THIS SIDE OF CARD IS FOR ADDRESS

monsieur Alan Cope
Blond - par Sassierges -
St. Germain

(Indre)

France

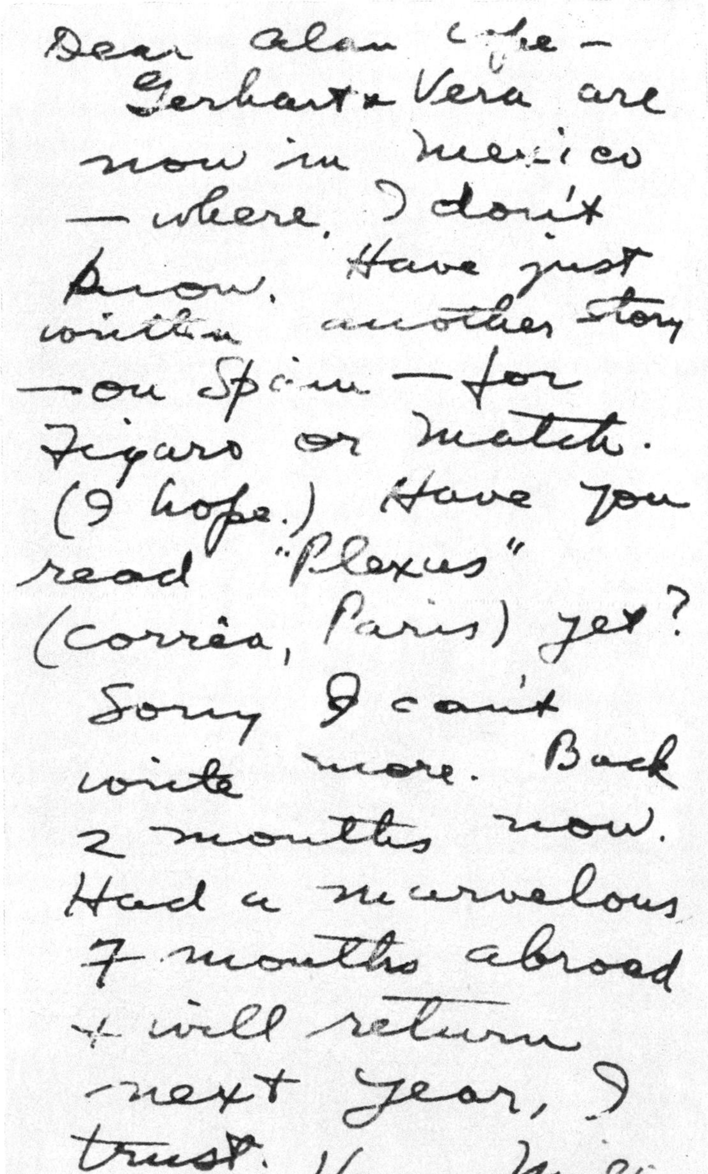

Dear alan Cohe —
    Gerhart & Vera are
now in Mexico
— where, I don't
know. Have just
written another story
— on Spain — for
Figaro or match.
(I hope.) Have you
read "Plexus"
(Corrêa, Paris) yet?
    Sorry I can't
write more. Back
2 months now.
Had a marvelous
7 months abroad
& will return
next year, I
trust. Henry Miller,

263

C'est Gerhart, finalement,
qui a renoué.
Ils habitaient une ville
du nom de Guanajuato.
Gerhart enseignait
au conservatoire. Il trouvait
le Mexique plus pauvre,
mais aussi plus humain
que l'Amérique. On y traitait
mieux les artistes, avec plus
de respect. Et surtout,
il se sentait utile aux gens.
Il composait et Vera
publiait ses poèmes,
traduits en espagnol.

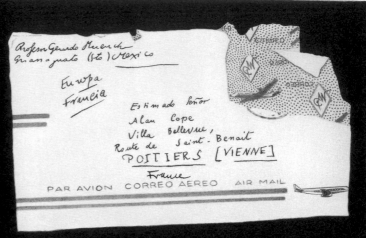

Nous avons échangé quelques lettres jusqu'à mon divorce, en 1958.
J'étais affreusement malheureux et l'idée m'a repris que Gerhart avait empoisonné mon mariage.
Je lui ai écrit pour lui dire que je le rayais de mon existence. J'avais tort, bien sûr, mais dans
mon état...

Une dernière lettre de lui
m'est parvenue, que j'ai
à peine ouverte, mais pas
jetée. Puis, plus rien.

Quelque temps après, un livre de Miller est sorti qui s'appelle :

Admirable, soit dit
en passant. Miller, comme
il a toujours fait, y raconte
sa vie à Big Sur,
ses rencontres.
Plusieurs passages
sont consacrés à Gerhart.
Je les extrais du bouquin
que j'ai, la traduction
de Roger Giroux
chez Buchet-Chastel.
Lisez, si vous voulez.

C'est aussi à Anderson Creek que Gerhardt Muench travaillait — sur un vieux piano droit qu'Emil White avait emprunté. De temps en temps Gerhardt nous donnait un concert, sur un clavecin "mal tempéré". Des automobilistes s'arrêtaient parfois devant la cabane d'Emil pour écouter Gerhardt. Lorsqu'il était complètement fauché et découragé et commençait à nourrir des projets de suicide, je lui conseillais (sérieusement) de transporter son piano au bord de la route et de montrer ce qu'il savait faire. Je me disais que s'il le faisait assez souvent, il trouverait bien un jour un impresario de passage pour lui proposer une tournée de concerts. (Gerhardt est connu dans toute l'Europe pour ses concerts de piano.) Mais il ne voulut jamais prendre cette idée au sérieux. Évidemment cela aurait été vulgaire et quelque peu exhibitionniste, mais les Américains adorent ça. Quelle publicité cela lui aurait fait si un entrepreneur de spectacles l'avait découvert au bord de la route en train d'exécuter dix sonates de Scriabine à la file !

(…)

De temps en temps, souvent au beau milieu d'une difficulté à résoudre, je me demande si le gars qui était là, la veille, en train de farfouiller dans mes aquarelles, je me demande si, lorsqu'il s'est arrêté pour regarder deux fois certaine "monstruosité", il avait la moindre idée des circonstances dans lesquelles elle fut conçue et exécutée ? "Me croirait-il, me demandé-je, si je lui disais qu'elle a été faite comme ça, en trois coups de cuillère à pot, et avec Gerhardt Muench en train de travailler sur mon piano démantibulé par-dessus le marché ? Se douterait-il le moins du monde que c'est Ravel qui l'a inspirée ? Le Ravel du Gaspard de la Nuit ?" C'est lorsque Gerhardt se mit à jouer et à rejouer cent fois le passage de Scarbo que j'ai soudain perdu tout contrôle de moi-même et que je me suis mis à peindre de la musique. C'était comme si mille tracteurs me labouraient la moelle épinière à toute vitesse, la façon dont le jeu de Gerhardt me pénétrait. Plus le rythme se précipitait, plus la musique se faisait tumultueuse et inquiétante et plus mes pinceaux volaient avec légèreté sur le papier. Je n'avais pas le temps de m'arrêter pour réfléchir. Allez ! Allez ! Brave Garbo ! Cher Garbo ! Brave Lancelot Garbo, Scarbo, Barbo ! Plus vite ! Plus vite ! Le papier ruisselait de peinture de toutes parts. Je ruisselais de sueur. J'avais envie de me gratter le derrière, mais je n'avais pas le temps. Allez, Scarbo ! Allez, danse, danse ! Les bras de Gerhardt battent comme des fléaux. Les miens aussi. S'il joue pianissimo, il peut jouer pianissimo aussi merveilleusement que fortissimo, j'y vais pianissimo moi aussi. Ce qui signifie que je vaporise les arbres d'insecticide et que je perds mon temps. Je ne sais plus ni ce que je fais ni où je suis. Quelle importance ? J'ai deux pinceaux dans une main et trois dans l'autre et je n'arrête pas de chanter, de danser, de me balancer, de tituber, de fredonner, de jurer, de crier. Pour faire bonne mesure, j'en mets une par terre et j'écrase mes talons dessus. (Extase slave.) Quand Gerhardt commence à avoir le bout des doigts complètement raboté, j'ai torché une demi-douzaine d'aquarelles (avec coda, cadence et appendice) qui aveugleraient un busard, un octavon ou une mésange bleue.

37

Vingt ans ont passé.
Je n'ai jamais été potier.

(Je dois revenir en arrière pour expliquer ça.)

En 1950, à la suite d'une erreur de la commission d'attribution des bourses, les vivres m'ont été coupées à trois mois du diplôme des Métiers d'Art. J'étais déjà marié et père de mon premier fils.

Il a fallu dare-dare trouver un métier.

J'ai fait un voyage à Caen, pour postuler à un emploi d'ouvrier dans une briqueterie.

Je me souviens de mon arrivée aux aurores. Je suis entré dans un vieux bistrot pour prendre un café sur le zinc.

Avec quoi, votre café ?

Un café sans rien, un café simple.

Elle m'a servi mon café dans un verre à pied.

Combien je vous dois ?

C'est combien, un café sans calva ?

Elle ne connaissait pas le prix du café sans calva.

J'ai rencontré le patron, qui m'a décrit le travail, pénible, et annoncé le salaire, faible.

Il m'a indiqué un logement ouvrier dans un triste alignement de taudis en brique. Le seul confort, c'est qu'il y avait l'eau courante.

On aurait accepté de vivre à la dure quelque temps s'il y avait eu de l'argent à la clef. Mais là, le ciel était trop bas et les perspectives, nulles.
J'ai dit non et je suis rentré à Paris.

Heureusement, l'Amérique, qui m'avait foutu dans le pétrin en supprimant ma bourse, m'a tiré d'affaire. Les bases militaires américaines embauchaient, à Poitiers, des traducteurs-interprètes. Mon français était très moyen, mais je n'avais pas le choix, il fallait essayer.

J'ai pris le train, habillé avec ce que j'avais de plus correct: une veste de cuir assez élégante et fraîche, un pantalon passable et une belle paire de bottes, bien montantes.
Je les avais renforcées en collant des semelles neuves sur les anciennes, comme ça se faisait beaucoup.

Arrivé à Poitiers, je me suis présenté au service de monsieur Henry MIGLIO.

On m'a fait entrer dans une très vaste pièce où était alignée une bonne dizaine de bureaux. Derrière chacun d'eux, un traducteur s'affairait et au fond de la salle, assez loin, trônait monsieur Miglio.

J'ai parcouru quelques mètres, d'un pas que je voulais assuré, pour produire une bonne première impression.

Soudain, j'ai eu la sensation nette qu'une de mes semelles s'était décollée et qu'elle était restée en arrière. En effet, j'ai jeté un coup d'œil par-dessus mon épaule et je l'ai vue sur le sol.

Sans réfléchir, d'un bloc, j'ai fait demi-tour et je me suis placé devant ma semelle, sous le regard de monsieur Miglio. J'ai appliqué fermement ma botte dessus pour la ressouder. Ça a marché.

J'ai passé mon test, commis quelques erreurs importantes, mais j'ai quand même été pris.

Ne vous souciez pas de vos fautes, vous serez un bon traducteur, avec de la pratique. Je dois dire, en plus, que vous m'avez impressionné par votre sang-froid quand vous avez perdu votre semelle.

Et c'est ce petit test qui a décidé de toute ma vie professionnelle, puisque j'ai réintégré l'armée en tant que civil pour n'en sortir qu'à ma retraite.

Quel boulot j'ai fait ? Un boulot d'avocat, sans l'être. Du coup, j'ai toujours couru après l'argent. Je m'occupais des contentieux entre les soldats des bases militaires et les populations locales. Ça pouvait aller du feu rouge brûlé au meurtre.

DEPARTMENT OF THE ARMY
S. THEATER ARMY SUPPORT COMMAND.
APO 09058

J'ai rempli essentiellement des tonnes de paperasserie, mais j'ai fait aussi des choses intéressantes. J'étais interprète pendant les procès et j'étais un bon interprète. Je me suis occupé de beaucoup de jeunes gens en prison. Certains m'écrivent encore, aujourd'hui.

Quand les bases américaines en France ont fermé, je suis parti avec ma deuxième femme en Allemagne, à WORMS, jusqu'à ma retraite.

En attendant que ma femme prenne la sienne, pendant dix-huit mois, j'ai été convoyeur de fonds. J'ai conduit une camionnette avec coffre-fort scellé à l'arrière, dix heures par jour, sur les routes du Palatinat. J'avais cinquante ans.

Je prenais un train à Worms à six heures vingt du matin. Pendant le trajet, je lisais un quotidien allemand. Ça m'a aidé à améliorer mon allemand sans vraiment l'étudier.

J'arrivais à la gare de WIESBADEN à sept heures vingt-cinq. Ensuite, j'allais à pied à mon lieu d'embauche. A huit heures, j'étais au volant de ma camionnette.

270

Je faisais le tour d'une petite dizaine de magasins militaires, disséminés dans le Palatinat. Certains en ville, d'autres en pleine campagne. Les plus isolés étaient évidemment les plus secrets.

Je portais du courrier officiel, des paquets, des objets particuliers commandés par ces magasins, je les livrais et on m'en donnait d'autres à retourner au quartier général.

Chaque jour, les chefs magasiniers, de leurs propres mains, glissaient l'argent accumulé depuis la veille dans une fente sur le dessus du coffre-fort. Quelquefois, j'avais des sommes très importantes. Juste après la paie des militaires, ça pouvait dépasser les cent mille dollars.

J'étais seul et sans armes. C'était peut-être un fait connu, mais je n'ai jamais été attaqué.

J'avais toujours l'angoisse qu'on me vole la camionnette. Une seule fois, elle est tombée en panne et j'ai été obligé de la laisser au bord de la route. Heureusement, je n'ai pas eu à aller trop loin pour trouver de l'aide.

Je pique-niquais en pleine campagne. C'était bucolique, pas cher et je ne perdais pas mon chargement de vue. Un jour, pendant que j'avalais mes sandwiches, j'ai vu un cercle de lapins.

Des lapins, sous mes yeux, se sont disposés suivant un grand cercle, tous tournés vers l'intérieur, comme les chevaliers de la table ronde.

Du temps a passé. Ils ont dit leur espèce de messe basse, sans bouger, puis ils ont disparu. Étrange, non ?

Un des magasins, le plus caché, était au milieu de rien, dans les forêts, sur une hauteur. L'entrée de l'installation était gardée jour et nuit par un homme armé. De toute évidence, ce lieu avait à voir avec l'armement secret.

A l'heure où j'arrivais, c'était presque toujours le même garde qui était là, un jeune Noir. Oh, il était terrible ! Très dur. Très beau, aussi.

Il ne m'aimait pas, au début. Me prenait pour un ennemi. Il devait prendre tout le monde pour un ennemi. J'avais un mal de diable à obtenir qu'il me laisse stationner où je voulais. Il me faisait peur.

Peu à peu, il s'est rendu compte que je n'étais pas contre lui et finalement on est devenu très copains. Il était content de me voir, on échangeait quelques mots aimables. Celui-là, il avait dû beaucoup souffrir des Blancs, c'est certain.

Pour rompre le sérieux de ce discours, une petite histoire : un jour, je quittais ce lieu et je devais descendre un chemin en pente raide, qui menait des forêts où était nichée l'installation militaire jusqu'à une route assez fréquentée.

C'était en plein été, il faisait très chaud. Je portais des nu-pieds. Arrivé en bas de cette pente, j'ai voulu rétrograder et appuyer sur le frein.

Une douleur insupportable m'a traversé le pied droit. Insupportable !

AOH !

Pourtant, il fallait bien que je continue à appuyer sur le frein. J'arrivais sur la route à angle droit où je voyais passer les voitures.

Alors, en hurlant, j'ai fini par m'arrêter.

Je ne pouvais pas imaginer ce qui m'arrivait. J'ai pensé qu'on m'avait tiré une balle dans le pied. En retirant ma chaussure, j'ai vu plusieurs abeilles écrasées entre le pied et la semelle.

Mon patron était relativement content de moi.
Si je terminais plus tôt que prévu,
j'étais censé rentrer au Q.G. pour aider
au travail de bureau.
Ça ne m'enchantait pas et,
la plupart du temps, je trichais.
Dans la dernière installation militaire
que je visitais, il y avait une bibliothèque.
J'y allais et je sortais des livres.

Je stationnais dans un coin
et je lisais sur mon volant
jusqu'à cinq heures du soir.
C'est comme ça que j'ai fait
bonne connaissance avec Rimbaud,
en traduction anglaise.

Ensuite, j'allais déposer
la camionnette et reprendre
mon train pour Worms.

Au fond, cette période était
assez terne et fatigante.
Rapidement, je me suis dit :
bon, voilà ce que je vais faire.
Je ne suis pas du tout content,
ni de moi, ni de ma vie.
Puisque j'ai des heures vides,
chaque jour, je vais tâcher
de revivre toute ma vie en
pensée afin de la comprendre.

Car j'ai eu une vie étrange.

Je me suis exercé à voir mon existence depuis le début et,
vous le savez, ma mémoire remonte très loin dans mon enfance.
Il arrive beaucoup de choses dans une vie, pendant cinquante ans.
J'ai essayé de les envisager lucidement, dans l'ordre chrono-
logique, mais pas toujours. Revoir des gens, des situations,
réentendre des mots. Ce que j'avais fait de bien et de pas bien.
La façon dont les autres - consciemment ou inconsciemment -
avaient influé sur la formation de mon être.
Et cela, jour après jour pendant dix-huit mois.
Parce qu'on ne fait pas en une fois un voyage pareil.

L'expérience est rapidement devenue
très intéressante. Je n'entrerai pas
dans les détails de ce que j'ai appris,
mais j'ai appris beaucoup.
Ça a été le début de ma vie de philosophe
- si j'ose dire - parce que ça m'a enseigné
à penser.
J'ai élargi mes réflexions à la civilisation,
à la politique, à la religion.
Je profitais de cette petite bibliothèque,
où j'empruntais Rimbaud, pour faire
quelques recherches.
Je n'ai rien écrit,
mais ça m'a fait beaucoup de bien.

Au bout de dix-huit mois, j'en suis arrivé à la conclusion que je n'avais pas vécu ma propre vie.
Je n'avais pas vécu la vie de la personne que je suis. J'avais vécu la vie de la personne qu'on voulait
que je sois, c'est différent.

Et cette personne-là
n'a jamais existé.

Nous sommes revenus prendre notre retraite
en France, ma femme et moi, à l'hiver 1975.
Parmi les choses que j'avais comprises
dans le Palatinat, il y avait mon amour
pour Gerhart et Vera et le grand tort
que j'avais eu envers eux.
J'ai été envahi par le désir de le leur dire
et de leur demander pardon.
Gerhart avait agi maladroitement avec moi,
mais après tout, sur le fond, il avait eu raison.

Comment les retrouver?

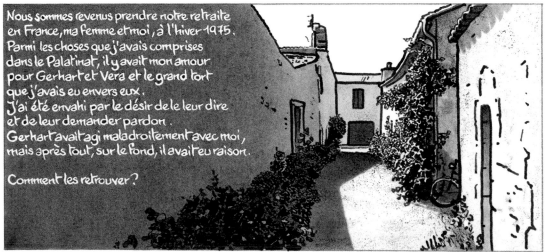

D'abord, j'ai envoyé des cartes un peu «shots in the dark».
Ça n'a rien donné. Deux ans sont passés.
En 1978, en fouillant dans mes affaires, je suis retombé sur la dernière lettre de Gerhart,
reçue exactement vingt ans plus tôt.
Celle que j'avais ouverte, pour voir si elle ne contenait rien de sismique,
mais jamais vraiment lue.

A la fin de la lettre,
j'ai relevé deux lignes :
«Tâche d'obtenir les œuvres
traduites d'OCTAVIO PAZ.
Il m'a dit qu'en France,
il commence à être apprécié.»
Le nom de Paz me disait
quelque chose.
J'ai vite appris qu'il était
un diplomate et un poète
internationalement connu.
J'ai écrit aux éditions
Gallimard.
J'ai écrit à la Casa Velasquez,
à Madrid, car j'avais cru
relever que Paz, en 1971,
y avait rédigé une préface.
J'ai écrit à l'ambassade
du Mexique à Paris.
Les services culturels
de l'ambassade m'ont envoyé
son adresse à Mexico.
J'ai écrit à Octavio Paz :
«Connaissez-vous l'adresse de
Gerhart et Vera Muench ?»

Et Paz m'a répondu.

Le 10 avril, 1979.

Monsieur Alan Cope
3, Rue Suzanne-Cothonneau
F - 17410 Saint-Martin-de-Ré
France.

Monsieur,

J'ai pu retrouver, grace à Madame Michèle Alban, l'adresse de vos amis, le musicien Gerhard Muench et sa femme Vera:

Gerhard et Vera Muench
Calle Morelos 166
Tacámbaro, Michoacán
México.

Cordialmente,

Octavio Paz

P.s. La boîte postale de Gérard Muench: Apartado Postal 25, Tacámbaro, Mich.

Lerma 143-601. México 5. D. F.

38

Voilà, j'avais retrouvé Gerhart et Vera.
J'ai envoyé une lettre et j'en ai reçu une en retour.
Ils avaient soixante-dix ans passés, tous les deux.
Depuis leur arrivée au Mexique, en 1953, ils n'en étaient plus ressortis.
Gerhart avait enseigné au conservatoire national et à l'université de Mexico.
Beaucoup composé, beaucoup joué.
Vera m'a envoyé une édition bilingue de ses poèmes.

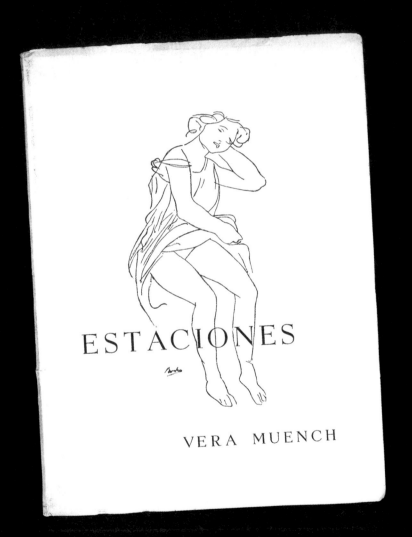

ESTACIONES

VERA MUENCH

Ils avaient pris une sorte de retraite en 1972, dans ce patelin colonial de Tacámbaro, province du Michoacán. Ils habitaient une maison du XIXe, où toutes les pièces donnaient sur un patio plein de buissons, de fleurs et d'oiseaux.
Ils étaient encore actifs, mais la vieillesse commençait à les atteindre.
Ils s'isolaient. Gerhart avait un œil malade, qui menaçait de le lâcher.
Ses doigts raidissaient.

J'avais envoyé des photos de moi.
J'ai reçu en retour une revue mexicaine avec un long article illustré par ce double portrait.
Pour reconstituer l'aspect qu'ils avaient quand je les ai connus, tellement plus jeune,
il faudrait tenter d'enlever tout ce qui est âge sur leurs visages.
Peut-être qu'un dessin pourrait faire ça.

Depuis le Palatinat, j'avais poursuivi
ma réflexion et j'avais beaucoup évolué.
J'étais de plus en plus opposé
à la civilisation dans laquelle j'existe,
tout en aimant plein de ses aspects.
J'ai compris en même temps que je ratais
ma vie et que la race humaine ratait
la sienne. Pour à peu près les mêmes
raisons : une intelligence et des goûts
artistiques pas exploités.
Un encombrement de dogmes,
de mauvaises valeurs et d'idées fausses.
Une sorte de maladie psychique
de l'homme qui ne sait pas quoi faire
avec sa vie. Des habitudes
catastrophiques. Une dilapidation
aberrante des biens de la terre.
Une incapacité, par obsession de soi,
à s'ouvrir à la véritable spiritualité
de l'existence.
Je me suis senti devenir un être excessif
et intransigeant sur toutes ces questions.
J'ai écrit à Gerhart :
« Je suis complètement contre l'avis
de tout le monde et tout le monde
est contre mon avis, c'est incroyable,
MAIS JE ME RÉVEILLE ! »

Il a été enchanté de l'apprendre et,
de ce jour, nous nous sommes
énormément écrit. Il m'a dit que
j'étais l'unique personne qui lui restait
et je pense que j'ai contribué à rendre
la fin de sa vie moins amère.
Malgré son œil de plus en plus malade,
il copiait pour moi, à la main, des pages
et des pages de livres de sa bibliothèque,
des choses qu'il trouvait importantes,
pour essayer de me mettre dans un bain
où je n'avais jamais été.
Des pages et des pages de Bachelard,
des pages et des pages d'Henri Bosco,
des pages de Mistral, surtout
« Le poème du Rhône », qu'il pouvait lire
en provençal. René Char, aussi,
Supervielle. Il m'a fait lire les contes
d'Hoffmann, qu'il appelait « le plus
riche fantaisiste de tous les siècles ».
Hölderlin, « le souverain et divin
oraculaire poète ».
Chaque fois que j'ai pu, j'ai tâché
d'entendre du Messiaen, du Boulez,
du Stockhausen, qu'il a introduits
au Mexique.

Et c'est comme ça qu'après m'être bâti
un embryon de conscience, tout seul dans
ma camionnette, en retrouvant Gerhart,
à l'âge de cinquante-cinq ans, je suis né.

Devenu borgne, voici le genre de feuillets qu'il pouvait m'envoyer :

BACHELARD.   Réponse s'il te plaît!!

Poétique du Rêve, page 161. Mais l'être du monde, rêve-t-il,
lui, jadis, avant la « culture », qui en aurait douté ? Chacun
sait que le métal, dans la mine, lentement mûrissait. Et
comment mûrir sans rêver ? Et la terre — quand elle ne
tournait pas — comment, sans rêves, eût-elle mûri ses
saisons ? Les grands rêves de cosmicité sont garants de
l'immobilité de la Terre. Que la raison, après de longs travaux,
vienne prouver que la Terre tourne, il n'en reste pas moins
qu'une telle déclaration est oniriquement absurde. Qui
pourrait convaincre un rêveur de cosmos que la terre vire-volte
sur elle-même ? et qu'elle vole dans le ciel ? On ne rêve pas avec
des idées enseignées. ❦

Poétique de l'Espace : On lit les pages de Bosco comme un
emboîtement des réserves de force dans les châteaux
intérieurs du courage.
En relisant Malicroix j'entends sur le Toit de la Redousse
passer, le sabot de fer du coup. —
On ne voit jamais l'image en première instance. Toute grande
image a un fond onirique insondable et c'est sur ce fond
onirique que le passé personnel met des couleurs particulières.
Dans le règne de l'imagination absolue, on est jeune très
tard. Il faut perdre le paradis terrestre pour y vraiment
vivre dans la sublimation absolue qui transcende toute
passion. —
La poésie nous donne non pas tant la nostalgie de la
jeunesse, ce qui serait vulgaire, mais la nostalgie des
expressions de la jeunesse. On rumine de la primitivité.
— Toute âme profonde a son au-delà personnel. —
Les mots sont des petites maisons, avec cave et grenier.
Le sens commun séjourne au rez-de-chaussée, toujours
prêt au « commerce extérieur », de plein pied avec autrui,
ce passant qui n'est jamais un rêveur. Monter l'escalier
de la maison du mot, c'est, de degré en degré, abstraire.
Descendre à la cave, c'est rêver, c'est se perdre dans les lointains
contours d'une mythologie incertaine, c'est chercher dans les mots des
trésors introuvables. Monter et descendre,
dans le mot même

281

c'est la vie du poète. Monter trop haut, descendre trop bas
est permis au poète qui joint le terrestre à l'aérien.
Seul le philosophe serait-il condamné parf ses pairs
à vivre toujours au rez-de-chaussée ?

Flamme d'une chandelle (p 58)

La flamme est une verticalité habitée. Tout rêveur de flamme
sait que la flamme est vivante. Elle garantit sa verticalité
par de sensibles réflexes. Qu'un incident de combustion
vienne troubler l'élan zénithal, aussitôt la flamme réagit.
Un rêveur de volonté verticalisante qui prend sa leçon
devant la flamme apprend qu'il doit se redresser. Il
retrouve la volonté de brûler haut, d'aller de toutes ses forces
au sommet de l'ardeur.

La flamme est un sablier qui coule vers le haut. Flamme et
sablier, dans la méditation paisible, expriment la communion
du temps léger et du temps lourd. J'aimerais rêver au
temps, à la durée qui s'écoule et à la durée qui s'envole
si je pouvais réunir en ma cellule imaginaire la chandelle
et le sablier.

Les rêveries de la petite lumière nous ramèneront au réduit
de la familiarité. Il semble qu'il y ait en nous des coins
sombres qui ne tolèrent qu'une lumière vacillante...

P. de l'Espace. frag 40 sur l'Antiquaire. (Tu trouveras cela)

La fleur est toujours dans l'amande. Par cette admirable devise,
voilà la maison, voilà la chambre signées d'une intimité insoluble
etc.......... Ainsi la maison de Bosco a la verticalité de la tour s'élevant des plus terrestres
et aquatiques profondeurs jusqu'à la demeure d'une âme
croyant au ciel. Une telle maison est vraisemblablement complète.
Elle fait la charité d'une tour à ceux qui peut-être n'ont
même pas connu un colombier.

On doit définir un homme par l'ensemble des tendances
qui le poussent à dépasser l'humaine condition.
Les objets gardés dans les „choses", dans cet étroit musée des
choses qu'on a aimées, sont des talismans
de rêveries.

Bachelard. (ta maison, 2° âtre, chalet)

- La terre et les Rêveries de la Volonté.

. Les objets de la Terre nous rendent l'écho de notre promesse d'énergie. Le travail de la matière dès que nous lui rendons tout son onirisme éveille en nous un narcissisme de notre courage.

L'image est toujours une promotion de l'Être.

Il y a un temps du granit.... la nature possède un psychochronos, un temps de feu....

Déjà la sensation tactile qui fouille la substance, prépare l'illusion de toucher le fond de la matière

L'instinct a toujours à sa disposition une volonté incisive. Notre vie est remplie de ces expériences curieuses que nous taisons et qui viennent en notre inconscient de rêveries sans fin. Qu'on songe à la feuille nette et frémissante d'une gelée traversée par le couteau, à cette chair qui ne saigne pas....

La pâte: équilibre entre eau et terre. — dynamique du poing fermé, sans violence et sans mollesse. rêve manuel, "tout m'est pâte, je suis pâte à moi-même." Il nous faut comprendre que la main aussi bien que le regard, à ses rêveries et sa poésie. Nous devons tous découvrir les poèmes du toucher, les poèmes de la main qui pétrit. —

Une pâte malheureuse suffit à donner à un homme malheureux la conscience de son malheur.

Le visqueux. Il est amusant de constater que celui qui a peur d'une matière visqueuse s'en met partout. S'il me fallait à toute force vivre le gluant, c'est moi-même qui serait glu. J'irais tendre des glueaux dans le buisson, poussant dans le pipeau des chants d'hypocrisie!

Toute créature doit surmonter une anxiété. Créer, c'est dénouer une angoisse. Il y a une sorte d'asthme de travail au seuil de tout apprentissage.

La simplicité est archaïque. Il faut avoir vécu dans un vieux jardin pour dire avec foi toutes les vertus du lys et de l'arnica. Alors la substance est un songe de jeunesse, la substance est une maladie consolée, une santé partie.

«Je mets une pomme sur la table, puis je me mets dans cette pomme. Quelle tranquillité.» Tout rêveur qui le voudra, ira miniaturisé habiter la pomme. On peut énoncer comme un postulat de l'imagination: les choses rêvées ne gardent jamais leurs dimensions. La plus grande lutte ne se fait contre les forces imaginées: elle se fait contre les forces imaginées. L'homme est un drame de symboles.

Qu'est-ce le vin? Un corps vivant où se tiennent en équilibre les x esprits les plus divers, les esprits volants et les esprits pondérés, conjonction d'un ciel et d'un terroir. Mieux que tout autre végétal la vigne trouve l'accord des mercures de la terre donnant ainsi au vin son juste poids. Elle travaille tout le long de l'année en suivant la marche du soleil à travers tous les signes zodiacaux. Le vin n'oublie jamais, au plus profond des caves, de recommencer cette marche du soleil dans les maisons c'est en marquant ainsi les saisons qu'il trouve le plus étonnant des arts: l'art de vieillir — D'une matière toute substancielle, la vigne prend à la lune, au soleil, à l'étoile un peu de souffle pour seul capable de bien «élémentier» tous les feux des vivants. Le vin est vraiment un universel qui sait se rendre singulier.

[texte encadré et renversé:] Tu enrendras facilement les Raves: Firme universelle de COXII (très bon.)

P. S. — Carissimo fratello Alan: Il est temps que je cesse de copier — à défaut d'un œil. Sûr d'être compris à travers et moyennant ce sublime Bachelard, je ose espérer que tu recevras avec le même enthousiasme et l'étonnement qui a été capable de ? alimenter les moments les plus assombris de mes faiblesses.— En échange, je désire vivement de connaître ton étonnement.— En parenthèse: Le COMBLE du Comble: Il a été Scientifique nucléaire, froidement cela !!! Quel re-virement.

Ceci est une seule lettre.
Je les conserve toutes, bien sûr.

A chaque nouvelle année, je leur adressais un beau calendrier.
Peu à peu, Vera s'est enfoncée dans la maladie.
J'ai reçu ce mot fin août 1987 :

Gerardo & Vera Muench

Morelia 166 Tacambaro, Mich.

Elle est morte le 1 août après des longues mois de cauchemar et démence annisée.

Pourquoi nous nous sommes perdus? Tu me manques tellement.

Qu'est-ce que j'ai commis? Aucun rappel.

Peut être Tout cela est illusion. Je suis presque aveugle malgré l'opération. Le reste sans commentaire. —

J'attends

Gerhard
en amitié profonde.

J'ai posté le dernier calendrier, un calendrier occitan, pour le nouvel an 1988.
Cette réponse est arrivée, avec les lignes qui montent, typiques de quelqu'un qui va mourir.

Apartado 23 - 61500 - Zitácuaro, Michoacán (México) - Tél. (91-725)

Cher Alain frère,

j'ai eu une rechute, presque aveugle, ne peux te répondre, mais j'ai reçu ton amitié.

Pardonne moi — Je vais m'anéantir

Tout Abandonné,   pour de mourir tôt.

Rien que cela

Gerard Ton

Je n'ai plus rien reçu après.

285

39

Vous vous souvenez peut-être que j'ai rencontré Gerhart et Vera à Bad Wiessee, en compagnie d'un soldat qui s'appelait Jim Post.

Le hasard a voulu qu'au moment où je renouais avec eux, en 1979, je lise un livre bien connu de TRUMAN CAPOTE, « De sang froid ». C'est le récit du meurtre d'une famille par deux malfrats, dans le Kansas, à la fin des années cinquante. Au procès de ces deux gars, Truman Capote cite le nom de l'aumônier de la prison où ils étaient détenus : le révérend James E. Post.

C'est une histoire vraie, hein ? Pas un roman. Les noms sont vrais.

Jim se destinait, comme moi, au pastorat. Il était du Kansas. C'était son genre de devenir aumônier des prisons. Je me suis dit : ça pourrait bien être lui.

J'ai écrit à l'éditeur du livre, en Amérique, en lui demandant s'il acceptait de faire parvenir l'enveloppe incluse, que j'avais laissée ouverte, au révérend James E. Post.

Il l'a fait et j'ai reçu une réponse.

C'était bien mon Jim Post.
Il était content d'avoir de mes nouvelles
et m'a envoyé des imprimés dont il se servait
dans son activité d'aumônier.
Il allait de ville en ville et de prison en prison,
donner des conférences dans le cadre
d'un programme qui s'appelait « Save our boys »
ou « Save our children », je ne sais plus.
Ça veut dire : « Sauvez nos enfants. »
Sous-entendu, de la délinquance
et de la prison.
Il s'agissait de convaincre les parents
que lorsque leurs enfants donnent les signes
avant-coureurs d'un comportement antisocial,
c'est-à-dire criminel, il faut faire
quelque chose par la voie de la religion
chrétienne protestante.
C'était, à la base, une très bonne idée,
mais ça sonnait tellement fondamentaliste
que ça ne m'a pas réjoui.

J'ai beaucoup travaillé en prison
avec les jeunes délinquants, moi,
ça a même été une grande partie de ma vie.
J'étais donc tout à fait d'accord
avec l'initiative, mais moins avec la voie.
Tout le monde ne peut pas aimer le Christ
comme ça. Si la religion est utilisée
simplement comme un moyen
pour sauvegarder l'enfant,
on devient hypocrite. En tant que parent,
on prêche ce qu'on ne croit pas.
Ce n'est pas bon.
Il m'annonçait aussi la mort du chapelain
Eliott, sur un ton que je n'aimais pas :
« Dear, dear Chaplain Eliott is dead… »
Vous ne connaissez pas le milieu protestant
fondamentaliste aux États-Unis.
Il n'y a rien de semblable en Europe.
C'est insupportable.
Ça suinte littéralement de jus trop sucré.

Il n'était pas étonnant qu'il pose une sorte
de préalable religieux à la reprise de notre
amitié. En 46, quand nous nous fréquentions,
j'avais les mêmes idées que lui et je voulais
faire le même métier.
Il ne pouvait pas deviner que j'avais changé.
Je le lui ai dit. J'ai écrit que j'étais
extrêmement heureux de l'avoir retrouvé
– c'était vrai, je l'aimais bien –
mais que je ne pouvais pas renouer
sur des bases aussi religieuses.
D'autant que je mettais sur le dos
du soi-disant christianisme
beaucoup de maux du monde moderne.
Je n'ai jamais considéré que l'Eglise
chrétienne était l'Eglise de Jésus.
L'Eglise chrétienne a été fondée,
non pas par Jésus, ni Pierre,
ni aucun des Evangélistes, mais par Paul.
Or, Paul était un moraliste misogyne
et anti-érotique fondamental.
Lisez la Bible, vous verrez.

Bon, ma lettre était assez cruelle, si on veut.
J'ai sans doute eu tort.
Dans ma vie, j'ai souvent eu tort,
mais je n'y peux rien.
J'étais honnête et je voulais reprendre
cette amitié sur une base absolument franche.

En tout cas, il n'a jamais répondu.

Grâce à d'heureux hasards, souvent provoqués avec beaucoup d'efforts, j'ai retrouvé, un à un, pratiquement tous mes amis. J'ai retrouvé Égypte, mais ça, ça ira plutôt dans la continuité de mes souvenirs d'adolescence. On le racontera ailleurs.

Elle m'a appris la mort accidentelle de Patzi, ma première fiancée.

Égypte m'a permis de retrouver Flint. J'ai eu une longue correspondance avec Flint, très accrochée aussi sur la religion, mais sans rupture. On s'écrit tous les Noëls.

J'ai retrouvé Dominique d'Antona grâce au système de la poste restante. Je me souvenais qu'après guerre, il avait épousé la fille d'un important quincailler de la ville de FORT SMITH, Arkansas. J'ai écrit là.
Quelques semaines après, mon téléphone a sonné. C'était lui. Il m'a dit :
« J'ai eu une vie merveilleuse. Cinq enfants, tous licenciés universitaires. J'ai gagné beaucoup, beaucoup d'argent. »

Formidable !
Moi, non.

Il a ajouté :
« Téléphone-moi autant que tu veux en P.C.V. Je paierai. »

J'ai écrit deux lettres, sans réponse. Je m'apprêtais à téléphoner quand j'ai reçu un mot de son fils.
Dominique, qui n'avait jamais eu le moindre problème cardiaque, était mort subitement d'un infarctus.

Lou, je l'ai retrouvé sans le retrouver.
J'ai dû faire des démarches infinies pour obtenir son adresse dans le New Jersey.
J'ai envoyé lettres et photos. Pas de réaction.
Là aussi, finalement, c'est sa fille qui m'a répondu. La fille dont ils attendaient
la naissance quand j'avais passé un mois chez eux, à l'automne 48.
Lou avait bel et bien construit des maisons toute sa vie.
Sa femme était morte l'année précédente.
Lui, souffrait de ce que la famille croyait être un ulcère. Il ne disait rien. Toujours brave.
Il est parti en Floride avec un compagnon de métier et il est mort là-bas.
Sa fille a retrouvé ma lettre ouverte dans ses papiers, signe qu'il l'avait reçue et lue.
Mais il n'a pas répondu.

Elle m'a envoyé cette photo de Lou, vieil homme.

Ma belle-mère, la deuxième femme
de mon père, m'a avoué un jour par lettre
qu'elle avait reçu un coup de fil,
un bon moment auparavant,
d'une certaine TINA qui me cherchait.
Et ma belle-mère, qui pouvait être
complètement con, lui aurait répondu :
« Mais il faut laisser Alan tranquille,
maintenant, il est marié. »
Non seulement j'étais marié,
mais j'étais déjà grand-père !

J'ai eu l'intuition que cette Tina
pouvait être Klementine, la petite
Klementine Rossbauer de Regensburg,
et j'ai écrit à son cousin Erich,
qui vit toujours là-bas,
pour lui demander son adresse.
J'ai renoué comme ça avec Erich,
que j'appelle « mon frère Erich »
et à qui j'écris de temps en temps.
Il m'a donné une adresse
dans un coin perdu du Michigan
et j'ai retrouvé Klementine.

Elle a épousé un soldat américain
qui l'a emmenée en Amérique.
Il est mort, maintenant.
Elle a deux enfants,
elle gagne sa vie en jouant de l'orgue
dans les clubs, dans les églises, etc.
Elle m'a envoyé une photo et un petit
disque enregistré avec son fils
qui l'accompagne à la batterie.
Je vous le ferai écouter.
En entendant sa voix et en regardant
son visage à cinquante ans,
vous pourrez imaginer comme elle était
gentille à seize ans.
Très simple, très fraîche, très douée.
Elle a pris un nom de scène,
TINA ZENTA, qui est son « middle name ».

On ne s'écrit pas très souvent,
c'est intéressant, assez personnel.
Il faut que je lui fasse une lettre,
ces jours-ci.

Enfin, je parlerai de Landis.
Il était venu me voir en France, peu de temps
après mon premier mariage, parce qu'une
branche de sa famille était française
et qu'il la visitait.
Il était avec son père et tous les deux
en ont profité pour aller en Bavière,
que je leur avais vantée.
Il m'a rapporté une paire de LEDERHOSEN,
les fameux shorts en cuir avec bretelles.
Ils étaient deux tailles trop grands
mais je les ai modifiés.
C'est eux que je portais
le jour de ma visite à Crommelynck.

J'ai été invité dans la famille
de Landis, à Paris, très
huppée, et je suis arrivé avec
mes Lederhosen. Ça a surpris
un peu, mais pourquoi pas ?
Il me les avait donnés.

Mon français n'était pas encore très bon. Je me souviens
qu'on m'a dit :

Voulez-vous un peu de fromage, monsieur ?

Oh ben oui,
un petit bout.

On ne dit pas bout,
on dit morceau.

On s'est promené dans Paris, Landis, ma femme et moi.
Il était enchanté, parce qu'il y avait partout des «street urchins».
Landis avait beaucoup lu, je vous l'ai dit, et dans toutes
les histoires sur le vieux Paris, il y a toujours des «street urchins».
Des garçons des rues, quoi. Des gavroches. Des titis.
Landis s'exclamait :

Ah, enfin ! J'ai vu des street urchins !

Par la suite, il m'a envoyé
de très jolis poèmes,
tapés impeccablement.
Pas moyen de remettre
la main dessus, j'ai dû
les perdre. Ils étaient
vraiment bons.
A dix-huit ans, ses poèmes
étaient déjà bons.

Il s'est installé à San Francisco.
Il m'a écrit de là-bas pour m'expliquer
qu'il avait été violé et que ça lui plaisait beaucoup.
Ça ne m'a ni surpris ni fâché. On s'est écrit
des lettres fraternelles et intimes dans cette
période du milieu des années cinquante.
Et puis mon divorce est survenu
et je n'ai plus communiqué avec lui,
ni lui avec moi.

A l'époque où j'ai été pris de ce désir de retrouver
mes amis, j'ai évidemment cherché Landis.
J'ai écrit à l'adresse de Coronado plus d'une fois
et, finalement, une femme m'a répondu :
« Nous avons racheté la maison de ces gens,
je ne sais pas où ils sont, mais je pense
qu'ils sont tous morts. »
Ah ! Je me suis dit, zut !
Pendant quelque temps, je l'ai cru mort.
Et puis, un jour, j'ai secoué cette idée
et j'ai appelé les renseignements internationaux.
Ça a marché avec une rapidité incroyable
et j'ai eu Landis au bout du fil,
à San Francisco.

Ghirardelli

Señor Pico

J'avais dépassé les soixante ans, il les approchait.
Il était content et surpris.

Comment vas-tu ?
Tu es marié ?

- « Ah non, non. Je suis
toujours gay. »

J'ai écrit à Coronado et on m'a répondu
que vous étiez tous morts. Une femme.

- « Ah, la vache ! C'est pas vrai !
Elle a dit ça ? Mes parents
sont morts, mais mon frère
et moi, on est toujours là. »

On a décidé de reprendre notre correspondance. Je lui ai demandé, par lettre, de bien vouloir m'envoyer une copie du soixante-quinzième Canto de Pisa, le poème d'Ezra Pound consacré à Gerhart. Je le cherchais, à l'époque. Pour un homme entouré de livres comme l'était Landis, ça me semblait facile. Il n'a pas répondu. J'ai fini par le rappeler.

Tu n'as pas trouvé le poème que je te demandais ?

– « Oh non, je ne l'ai pas fait. »

Excuse-moi, mais pourquoi ?

– « c'est trop fatigant. »

Il avait une voix bizarre.

Tu as une drôle de voix, qu'est-ce que tu as ?

– « Rien. Je suis malade. »

– « Une grippe. »

Il a marqué un temps, comme s'il cherchait à nommer sa maladie.

Je n'ai plus eu de nouvelles. Il ne répondait plus aux appels. Finalement, il est sorti de l'annuaire. On commençait à parler du SIDA, à l'époque, et j'ai pensé qu'il devait l'avoir attrapé.

Voilà l'histoire de Landis, et c'est bien triste qu'elle se termine comme ça.

40

Comment pourrait-on appeler mon récit de guerre ?
Les Pygmées ont une habitude qui me plaît.
Ils se réunissent autour d'un conteur et lui lancent des sujets.

Par exemple, quelqu'un dans l'assemblée dit : « L'amour ! » Et le conteur répond :
« L'amour ? C'est ainsi. » Ou bien : « La haine ! » - « La haine ? C'est ainsi. »
Et ensuite, il développe son histoire.

On pourrait appeler mon récit :
« La guerre ? C'est ainsi. »

Mais vous ferez
comme vous voudrez.

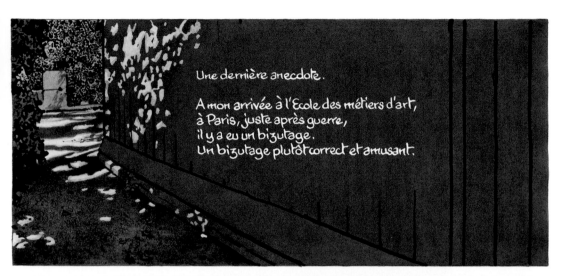

Une dernière anecdote.

A mon arrivée à l'Ecole des métiers d'art,
à Paris, juste après guerre,
il y a eu un bizutage.
Un bizutage plutôt correct et amusant.

On nous a obligés à nous déguiser
en hommes et en femmes préhistoriques.
Tout le monde était bariolé de peinture,
garçons et filles, et couvert de toutes sortes
de choses qu'on trouve facilement
dans une école d'art. Curieusement,
je ne revois pas ce que j'avais sur moi.

Je me souviens essentiellement,
et ça, c'était très très drôle,
qu'on a distribué à chacun de nous
un ticket de métro et qu'on nous a donné
l'ordre de prendre le métro à Saint-Paul,
sur la ligne Neuilly-Vincennes,
et de faire un certain voyage.
Je ne sais plus son étendue,
mais je me rappelle qu'il y avait au moins
une correspondance.

On portait de fausses matraques,
d'énormes massues, de grands couteaux
recouverts de papier d'aluminium
et il fallait qu'on fasse grand peur,
en hurlant, en courant,
à tous les passagers du métro.

Voilà, c'est tout.

Merci à Clementine et à ses enfants.
Merci à Erich et à la famille Rossbauer de m'avoir accueilli à Regensburg,
comme ils avaient accueilli Alan soixante ans auparavant. Grâce à eux,
j'ai pu franchir la porte du 1, venelle de la vache, arpenter le jardinet de Hans
et descendre dans le cellier d'Anna.
Merci à Lothar Erett pour sa contribution à ces rencontres.
Merci à Bernhard Kaiser de m'avoir réservé une chambre avec balcon sur le lac Tegernsee
dans son hôtel « Askania », à Bad Wiessee, et de m'avoir ouvert ses archives.
Merci à Leni et Gisela d'avoir évoqué leurs souvenirs de 1945-1946.
Merci à Mario Beauregard pour la photo de Gerhart et Vera,
extraite de la revue « PLURAL » (Mexico, janvier 1978).
Merci à Thierry Garrel et Peter Fleischmann pour les images du Palatinat
contenues dans le remarquable documentaire « Mon ami l'assassin » (Fufoofilm-Arte 2006)
Merci à Bill, Maria et Panchito pour le prêt de leur villa à Pasadena,
camp de base rêvé sur la route des séquoias géants.
Amicale pensée à Vance, de Ventura et à Thierry Mallet, de Venice.
Merci à Mado et Claude Perrault, Liliane et André Perrier, Suzanne et Henry Burel
pour les bonnes heures passées dans l'île.
Salut à Jacqueline Chazelas, à Madeleine Audouys, à Monique et Christophe,
aux Kerebel, aux Shear, aux Signorello, à Pierre Soler.
Un toast pour Lucienne. Un autre pour Yves, Ursula, Sophie et Benoît.
Merci à Lila et Jérémi Marissal de m'avoir précédé dans le vieux Ratisbonne
et envoyé quelques photos, en éclaireurs.
Merci à Pierre et Françoise Lèbe.
Merci à Jed Falby pour son « rumble seat » et sa fraternité.
Merci à Frédéric Lemercier pour ses impayables manoirs hollywoodiens, à François Calame
pour ses robustes log-cabins et à Xavier Dandoy de Casabianca pour son beau Danube gris.
Merci à Didier Lefèvre de m'avoir fait connaître les photographies de Weegee
et de Louis Faurer.
Merci au Centre National du Livre, qui a soutenu le premier tome de cette trilogie.
Merci à Mark Siegel et à l'équipe de « First Second ».
Merci à Jean-Christophe Menu et à tous ceux et celles qui ont contribué
à l'élaboration de ces livres, à l'Association.

Merci à Donatella et Cecilia de m'avoir tendrement accompagné
en Californie et en Bavière, sur les traces d'Alan.

Admettez-vous que toutes les parties d'une vie
ont leur importance et le droit d'être évoquées
quand on brosse le tableau d'une existence ?

Alan Ingram Cope

Fort Knox.

Lou.

Un caporal qui n'est pas Cope
en train de serrer la main
d'un général qui n'est pas Patton.

Jako. (Bohême, 1945)

Regensburg. La famille Rossbauer.

Alan . Klementine . Oncle Peppi . Hans . Anna .

Anna . Alan .

Klementine. Alan. Erich.

Bad Wiessee am Tegernsee.

Hôtel Askania.

Avec l'uniforme d'employé civil.

USA 1947.

Redlands.

La Chevrolet 34.

La randonnée avec les enfants mexicains.

Army of the United States

Honorable Discharge

This is to certify that

ALAN I. COPE, JR, 39299934
Corporal
Headquarters Special Troops, Third U. S. Army

Army of the United States

is hereby Honorably Discharged from the military service of the United States of America.

This certificate is awarded as a testimonial of Honest and Faithful Service to this country.

Given at   Bad Tolz, Germany

Date   22nd March 1946

Thomas C. Chamberlain

THOMAS C. CHAMBERLAIN
Lieutenant Colonel, Cavalry
Commanding

Soixante-dix-neuvième volume de la collection Ciboulette,
LA GUERRE D'ALAN, d'Emmanuel Guibert,
a été achevé de réimprimer en mai 2016
sur les presses de l'imprimerie Grafiche Milani, Italie.
Troisième édition. Dépôt légal deuxième trimestre 2012.
ISBN 978-2-84414-450-8
© L'Association, *104 rue Ordener, 75018 Paris*
www.lassociation.fr